LUC FERRY

MYTHOLOGIE & PHILOSOPHIE

CRÉDITS

LE FIGARO

PROJET DÉVELOPPÉ PAR LE FIGARO
Édité par :
La Société du Figaro
14 bd Haussmann - 75009 Paris - www.lefigaro.fr
Directeur général : Marc Feuillée

Les Éditions de l'Opportun
16 rue Dupetit-Thouars - 75003 Paris
Direction édition : Stéphane Chabenat

Dépôt légal : mars 2015
Achevé d'imprimer en février 2015 sur les presses de l'imprimerie Elcograf S.p.A., via Mondadori 15, Vérone, Italie

ISBN : 978-2-8105-0708-5 (collection)
ISBN : 978-2-8105-0715-3 (volume 7)

Direction de la collection : Anne Evrard
Direction artistique : Philippe Marchand
Responsable projet : Stéphanie de Fonscolombe
Fabrication : Marion de Chalonge
Maquette : Éditions de l'Opportun
Couverture : Olo Éditions, Marion Alfano
Responsable éditoriale : Brigitte de Zélicourt
Mastering : Art & Son
Crédit photos : Gabrielle Ferry, Éditions de l'Opportun

Production de conférence : Sara Yalda
Enregistrement des conférences : Théâtre des Mathurins

LES AMOURS DE ZEUS

LUC FERRY
MYTHOLOGIE & PHILOSOPHIE

VOLUME 1
L'*Odyssée* ou le « miracle grec »

● L'histoire d'Ulysse est celle d'un homme qui va de la vie mauvaise à la vie bonne. Cette épopée, magnifique, fournira la matrice à la naissance de la philosophie en Grèce.

VOLUME 2
L'*Iliade* et la guerre de Troie
L'héroïsme grec

● L'*Iliade* ne raconte pas la guerre de Troie, mais seulement quelques jours de la dernière année du conflit. Quel est alors le véritable sens de cette œuvre qui met avant tout en scène l'héroïsme grec ?

VOLUME 3
La Naissance des dieux et du monde
D'après la *Théogonie* d'Hésiode

● Comme l'*Odyssée* d'Homère, la *Théogonie* d'Hésiode raconte une histoire qui va du chaos à l'harmonie. Zeus, en instaurant un ordre cosmique harmonieux, va permettre aux humains de trouver le sens de leur vie.

VOLUME 4
Typhon et les Géants
Les puissances chaotiques contre l'harmonie cosmique

● Typhon, personnage essentiel de la mythologie, figure la résurgence sans cesse possible des forces destructrices du chaos, signe que l'harmonie n'est jamais gagnée pour toujours.

VOLUME 5
Prométhée et la boîte de Pandore
La naissance de l'humanité

● Les dieux s'ennuient sur l'Olympe, maintenant que Zeus a instauré un ordre cosmique harmonieux. Ils demandent donc à Prométhée et Épiméthée de créer des mortels pour se distraire...

VOLUME 6
Midas contre Apollon
La bêtise menaçant le cosmos

● Dominé par son avidité et sa cupidité légendaires, Midas demande à Dionysos de lui donner le « toucher d'or », ce qui va menacer l'ordre cosmique tout entier et se retourner contre lui.

VOLUME 7
Les Amours de Zeus
La naissance d'Héraclès et ses 12 travaux

● Ayant besoin d'être secondé dans sa tâche du maintien de l'ordre cosmique, Zeus décide de s'unir à la mortelle Alcmène pour concevoir Héraclès, un héros qui continuera son œuvre sur terre.

VOLUME 8
Mort et résurrection d'Héraclès
La signification du tragique grec

● Héraclès a dû vaincre des résurgences des forces primitives du chaos, mais il n'en est pas moins lui-même un être déchiré. Il incarne à ce titre le héros tragique, voué au malheur et à une mort atroce.

VOLUME 9
Thésée contre le Minotaure
La quête du bonheur, une illusion ?

● Thésée fait partie de ces héros qui poursuivent la tâche impartie par Zeus, maintenir l'ordre cosmique face aux forces du chaos. À la différence d'Héraclès, il parviendra pendant un temps au bonheur.

VOLUME 10
Persée et la Gorgone Méduse
La mort en face

● Persée tranchant la tête de la Gorgone Méduse, voilà qui a donné lieu à une très riche iconographie. Mais peut-on regarder la mort en face sans être pétrifié ? Faut-il l'oublier ou y penser chaque jour ?

VOLUME 11

Jason et la Toison d'or
Le sens de la justice

● L'épopée des Argonautes en quête de la Toison d'or constitue, avec celle d'Ulysse, le récit d'aventures le plus fascinant de toute la mythologie, dévoilant aussi une certaine conception de la justice.

VOLUME 12

Dionysos, dieu de la fête
La folie au cœur de l'Olympe

● Dionysos, mélange de Zeus et d'une mortelle, sorti de la « cuisse de Jupiter », est un être étrange qui incarne l'altérité sous toutes ses formes. Pourquoi alors l'avoir installé au cœur de l'Olympe, lieu de l'harmonie par excellence ?

VOLUME 13

Pyrrha, Deucalion, Noé et Gilgamesh
Les mythes du déluge

● Il existe à l'origine trois grands mythes du déluge, pratiquement identiques entre eux jusque dans les détails. Mais leur même trame donne pourtant lieu à trois leçons philosophiques très différentes.

VOLUME 14

Œdipe et son complexe

● Comment expliquer que le destin n'épargne personne, bons et méchants ? Telle est la question à laquelle répond d'abord le mythe d'Œdipe.

VOLUME 15

Antigone
La loi du cœur contre la raison d'État

● Antigone incarne pour l'éternité la révolte de l'individu contre l'ordre établi mais, pour sympathique qu'elle soit, cette révolte est toujours vouée à l'échec dans le monde grec.

VOLUME 16

Sisyphe et Asclépios
Les mythes de la mort

● Sisyphe et Asclépios, en s'attaquant à la mort, menacent de bouleverser l'ordre cosmique instauré par Zeus. L'arrogance et la démesure dont ils ont fait preuve appellent un châtiment terrible…

VOLUME 17

Orphée, Eurydice, Éros, Psyché, Déméter
Les drames de l'amour

● Ces mythes de l'amour contrarié explorent les arcanes de la souffrance des héros, mais aussi les stratégies que ces derniers tentent d'inventer face à la plus douloureuse des épreuves.

VOLUME 18

Tantale, Dédale, Lycaon, Icare, Phaéton
Les mythes de l'orgueil

● L'hybris est aux yeux des Grecs le péché par excellence : certains mythes, dont l'interprétation est particulièrement aisée, le condamnent sans détour.

VOLUME 19

Les Grands Mythes de l'amour
L'Antiquité, le Moyen Âge et nous

● Tout commence avec l'*Épopée de Gilgamesh*, l'histoire d'une contradiction insoluble entre l'amour et la mort. Et ces histoires d'amour continueront de hanter l'humanité…

VOLUME 20

Mythologie, religion et philosophie
Sagesses d'Orient et d'Occident

● Comment situer les mythes entre religion et philosophie ? Une question complexe mais, à bien des égards, la philosophie est l'héritière de la mythologie et de la religion.

SUR LE CD

1 | Héraclès, le lieutenant de Zeus sur terre

2 | Les amours de Zeus : une signification politique

3 | Des amours à la dimension également théologique, érotique et cosmologique

4 | Zeus, Alcmène et Amphitryon

5 | Les premiers exploits d'Héraclès et l'oracle de Delphes

6 | La nature cosmologique des travaux d'Héraclès

LES AMOURS DE ZEUS

LA NAISSANCE D'HÉRACLÈS ET SES 12 TRAVAUX

SOMMAIRE

LIMINAIRE

Héraclès est le fruit des amours de Zeus et d'une mortelle, Alcmène, mais avant de vous raconter les circonstances de sa naissance, ses premiers exploits, ses fameux travaux et son apothéose finale, il me faut vous dire un mot des diverses significations qu'ont pu revêtir dans la mythologie les amours du roi des dieux. Comme vous allez le voir, c'est là une des clefs indispensables à la compréhension du personnage complexe d'Héraclès.

D'innombrables livres ont été consacrés aux relations amoureuses de Zeus avec ses femmes, ses maîtresses et même ses amants. Il faut dire que ses conquêtes sont aussi impressionnantes que le nombre de ses enfants. On peut bien sûr tenir le roi des dieux pour un obsédé sexuel – ce qui n'est pas tout à fait faux et, les hommes ayant inventé les dieux, il n'est pas impossible qu'ils aient projeté un certain nombre de leurs fantasmes sur ceux auxquels ils donnaient une existence aussi bienheureuse. Mais par-delà les considérations purement érotiques, les entreprises amoureuses du maître de l'Olympe ne sont pas aussi légères et dénuées de sens qu'on pourrait le croire à première vue. En fait, on peut distinguer quatre finalités, quatre grandes significations des relations amoureuses que Zeus entretient avec ses innombrables conquêtes :

– politique ;
– théologique ;
– érotique ;
– cosmologique.

LES ENTREPRISES AMOUREUSES DU MAÎTRE DE L'OLYMPE NE SONT PAS AUSSI LÉGÈRES ET DÉNUÉES DE SENS QU'ON POURRAIT LE CROIRE À PREMIÈRE VUE

Zeus, fresque de Pompéi.

LES AMOURS DE ZEUS ET LEURS SIGNIFICATIONS

Commençons par la fonction politique, la première qui entre en scène dans la vie de Zeus. Nous avons déjà dit dans quelles conditions et pour quelles raisons « politico-militaro-diplomatiques » Zeus avait épousé ses deux premières femmes, Métis et Thémis. Sans l'intelligence rusée de Métis, qu'il va transformer en goutte d'eau pour mieux l'absorber, mais tout autant sans la justice qu'incarne Thémis, Zeus n'aurait jamais réussi ni à vaincre les Titans, ni à partager le monde avec assez de sagesse pour qu'il devienne un cosmos harmonieux, paisible et durable. On raconte d'ailleurs que ce partage s'est fait avec ses trois frères, par tirage au sort, ce qui, dans le monde grec, est l'une des incarnations les plus adéquates de l'idée de justice : Hadès a obtenu la maîtrise des sous-sols, de l'enfer et du peuple des morts – ce pourquoi on l'appellera en latin « Pluton », du grec *ploutos* qui signifie « riche », parce qu'il est celui qui règne, avec sa femme Perséphone (elle est aussi, cela dit au passage, une des nombreuses filles de Zeus, un enfant qu'il a eu avec sa sœur Déméter, la

SANS L'INTELLIGENCE RUSÉE DE MÉTIS, ZEUS N'AURAIT JAMAIS RÉUSSI NI À VAINCRE LES TITANS, NI À PARTAGER LE MONDE AVEC ASSEZ DE SAGESSE POUR QU'IL DEVIENNE UN COSMOS HARMONIEUX, PAISIBLE ET DURABLE

déesse des saisons et des moissons) sur le peuple de loin le plus nombreux, celui des malheureux défunts. Quand les trois Cyclopes ont été libérés des enfers par Zeus, sortis de ce Tartare humide, moisi et ténébreux où Cronos les avait enfermés, ils ont offert à Hadès un bonnet en peau de chien, un couvre-chef doué d'une propriété surnaturelle : il efface les visages et rend invisible celui qui le porte (nous verrons plus tard quel usage en fera, par exemple, Persée pour décapiter la Gorgone Méduse, ou encore pour libérer sa bien-aimée, Andromède, des griffes du monstre qui s'apprêtait à la dévorer) ; Poséidon, lui, a reçu des Cyclopes le trident qui ébranle la terre quand il le frappe sur le sol. Il a aussi obtenu pour sa « part d'honneurs », toujours grâce à ce même tirage au sort, le privilège de régner sur les mers ; quant à Zeus, il se voit attribuer par le destin (le hasard des dés) le « ciel lumineux » et l'on sait déjà que les Cyclopes lui ont en outre offert en cadeau la foudre, l'éclair et le tonnerre, ce qui le rend plus fort que tous les autres dieux réunis.

La signification de ses deux premiers mariages est donc claire : sans eux, il n'aurait pas été le maître de l'univers, le garant de l'ordre cosmique et le roi des dieux. Certes, de temps à autres, d'autres divinités se liguent contre lui. Héra et Athéna par exemple, mais aussi ses frères, parfois, qui lui contestent sa souveraineté, notamment Poséidon, mais c'est toujours Zeus qui finit par l'emporter et par rétablir l'ordre cosmique comme on le voit dans un passage tout à fait significatif du chant XV de l'*Iliade* : alors que Zeus vient de lui envoyer sa fidèle messagère, Iris (à ne pas confondre, comme le font malheureusement certains ouvrages de vulgarisation, avec Éris, la déesse de la discorde) pour lui enjoindre de ne plus intervenir dans la guerre, Poséidon se révolte... avant de se coucher (comme toujours je place mes commentaires entre parenthèses) :

Iris : « Je viens ici, maître de la terre, dieu aux crins d'Azur, te porter un message au nom de Zeus qui tient l'Égide (c'est-à-dire le bouclier recouvert de la peau de la chèvre – *aigos* – Amalthée, un cuir que nulle flèche ne peut transpercer et que Zeus partage avec Athéna). **Il t'enjoint de cesser la lutte et la bataille et de t'en aller chez les dieux, ou bien dans la mer divine. Si tu n'entends pas cet ordre, si tu n'en tiens aucun compte, il menace de venir lui-même ici lutter face à face avec toi et il t'engage alors à te dérober à son bras. Car il prétend, pour la force, l'emporter de beaucoup sur toi, tout aussi bien qu'il est ton aîné par la naissance. Mais tu n'as, toi, nul scrupule en ton cœur à lui parler comme on parle à un pair, à lui, lui qui fait peur à tous les autres. »**
Et l'illustre Ébranleur du sol s'irrite et répond :

Poséidon : « Ah ! Pour brave qu'il soit, il a prononcé là un mot bien arrogant. Il prétend donc me réduire par la force et malgré moi, moi qui suis son égal ! Nous sommes trois frères, issus de Cronos et enfantés par Rhéa : Zeus et moi et, en troisième, Hadès, le monarque des morts. Le monde a été partagé en trois. Chacun a eu son apanage. J'ai obtenu pour moi, après tirage au sort, d'habiter la blanche mer à jamais ; Hadès a eu pour lot l'ombre brumeuse, Zeus le vaste ciel, en plein éther, en pleins nuages. La terre, pour nous trois, est un bien commun ainsi que le haut de l'Olympe. Je n'entends pas dès lors vivre au gré de Zeus. Il a beau être fort, qu'il demeure tranquille dans son lot, le troisième, et qu'à aucun prix il ne cherche à m'effrayer avec ses bras, comme si j'étais un vilain ! Il ferait bien mieux de garder ses reproches et ses grands mots qu'il veut effrayants pour les filles et les fils dont il est le père afin qu'ils entendent ses ordres. »
La rapide Iris, aux pieds rapides comme des vents, répond :

Iris : « Dois-je porter tel quel à Zeus, maître de la terre, dieu aux crins d'Azur, ton intraitable et dur propos, ou n'en laisses-tu rien fléchir ? Cœur de brave se laisse fléchir, tu sais que les Érinyes toujours suivent les aînés. »

Et l'Ébranleur du sol, Poséidon, à son tour lui dit :
« Divine Iris, il est vrai que ce que tu me dis là est fort bien dit. C'est déjà un bonheur que d'avoir affaire à sage messager. Mais un atroce chagrin m'entre aussi dans l'âme et le cœur lorsque moi, son égal, voué à une part égale à la sienne, Zeus prétend me prendre à partie avec des mots irrités. Pourtant c'est dit, pour cette fois, malgré mon dépit, je m'inclinerai… »

Ce passage est intéressant à plus d'un titre.
Il montre d'abord comment Zeus ajoute la justice à la force et à l'intelligence. Constamment, pendant la guerre de Troie, il tient la balance qui pèse les destinées, et même quand un héros lui tient à cœur, comme c'est par exemple le cas d'Hector, que Zeus apprécie particulièrement parce qu'il lui a toujours rendu les honneurs, il s'en remet malgré tout au destin qu'indique avec justesse le trébuchet de Thémis. Une remarque au passage : on pourrait être surpris de voir Zeus se présenter comme l'aîné, alors qu'il est, comme son père, Cronos, le cadet

C'EST ENSUITE UNE FONCTION, AU SENS PROPRE, THÉOLOGIQUE QUE REMPLISSENT LES AMOURS DE ZEUS, CAR D'ELLES VONT NAÎTRE UNE PLÉIADE DE DIVINITÉS DONT LE RÔLE VA S'AVÉRER CONSIDÉRABLE DANS LA MYTHOLOGIE

Iris et Jupiter, Michel Corneille le Jeune (1642-1708).

de la fratrie. C'est vrai, sauf que, souvenez-vous, la pierre enrobée dans les langes qui le représente dans le ventre de Cronos est aussi celle qui sort en premier grâce au vomitif que Métis lui a fait absorber, de sorte que, symboliquement, il est bien le premier-né – où l'on voit comment le principe dynastique vient renforcer encore la suprématie que donne à Zeus l'intelligence de Métis, la justice de Thémis et la force des trois Cyclopes. Iris, la maligne, en profite pour évoquer les Érinyes, les fameuses et terrifiantes « Bienveillantes » (Euménides) qui punissent les crimes commis dans les familles, de sorte qu'après mûre réflexion Poséidon, quoiqu'il en ait, n'a plus qu'à obéir...

C'est ensuite une fonction, au sens propre, théologique que remplissent les amours de Zeus, car d'elles vont naître une pléiade de divinités dont le rôle va s'avérer considérable dans la mythologie. Impossible de les mentionner toutes ici, mais citons-en quelques-unes parmi les plus essentielles. Il y aura d'abord, à tout seigneur tout honneur, Athéna, la fille de Métis et de Zeus et, comme telle, déesse de l'intelligence et de la guerre – la divinité la plus puissante après son père, celle à laquelle il ne peut pratiquement rien refuser. Je vous rappelle qu'un oracle avait prédit que si Zeus avait un fils de Métis, cet enfant parviendrait à le détrôner. C'est Prométhée qui révèle la chose à Zeus, ce qui lui permet au passage de se faire pardonner d'avoir volé le feu et les arts pour les donner aux hommes, les rendant ainsi capables d'*hybris*, de démesure, de cette arrogance qui les conduit à se prendre parfois pour l'égal des dieux.

Donc, voyant que Métis est enceinte, Zeus lui demande de se transformer en goutte d'eau et il l'avale. Fort bien. Mais l'embryon est déjà là, qui commence à grandir dans le corps du maître de l'Olympe, et cet embryon-là, ce n'est pas celui de n'importe qui : il s'agit d'Athéna qui s'est installée dans la tête du roi des dieux (comme Dionysos, fils de Zeus et d'une mortelle, Sémélé, grandira dans sa cuisse, dont il finira par « sortir » – d'où la fameuse formule latinisée : « sortir de la cuisse de Jupiter »). Quand l'étrange grossesse parvient à son terme, Zeus demande à Héphaïstos (ou, selon certaines variantes, à Prométhée) de lui fendre la tête d'un coup de hache et Athéna en sort toute casquée, toute armée, et si j'ose dire, prête à l'emploi.

Mais Zeus aura bien d'autres enfants divins : Arès, le dieu de la guerre, conçu avec Héra, comme Héphaïstos, dieu du feu et des forgerons ; Hermès, son messager, fils de Maïa ; les jumeaux, Apollon et Artémis, qu'il conçoit avec Léto, mais aussi les Muses, les Moires (les

Autel des douze dieux du panthéon romain,
musée du Louvre.

Destinées), les Grâces, Mnémosyné (la mémoire), voire Aphrodite, qui selon certaines légendes ne serait pas sa tante (la fille d'Ouranos et de Gaïa), mais la fille qu'il aurait eue avec Dioné, une Titanide... La dimension, en ce sens littéral, « théologique », de ses relations amoureuses est donc aussi importante et manifeste que leur signification militaro-politique. Car n'en doutez pas : toutes ces divinités issues de Zeus auront un rôle éminent dans de très nombreux mythes, ainsi qu'une contribution essentielle à la cohérence d'ensemble de la vision du monde qui les sous-tend. Laissons de côté les plus connus, dont nous avons déjà parlé et dont nous reparlerons au fil des prochains livrets et considérons les divinités généralement tenues,

TOUTES CES DIVINITÉS ISSUES DE ZEUS AURONT UN RÔLE ÉMINENT DANS DE TRÈS NOMBREUX MYTHES, AINSI QU'UNE CONTRIBUTION ESSENTIELLE À LA COHÉRENCE D'ENSEMBLE DE LA VISION DU MONDE QUI LES SOUS-TEND

mais tout à fait à tort, pour secondaires, les Muses, les Heures, les Moires et les Charites (celles qu'on appelle en latin les Grâces) par exemple. Qui sont-elles et quel est leur rôle ?

Nous avons déjà eu l'occasion d'évoquer, en analysant les deux musiques, celle d'Apollon et celle de Dionysos, qui s'affrontent dans le mythe de Midas, quelle était l'origine et la signification des Muses. Je n'y reviens pas. Mais disons quelques mots de ces autres divinités qui occupent toutes des fonctions cosmologiques essentielles. D'abord les Charites. Elles sont trois, trois sœurs, Euphrosyné, Thalia et Aglaé, filles de Zeus et d'Érynomé, la fille du Titan Océan, si

l'on en croit Apollodore, mais, selon d'autres versions, elles seraient des filles de Zeus et d'Héra. Elles habitent sur l'Olympe, avec les dieux, et ce sont des divinités de la beauté, parfois aussi, d'après d'autres légendes, des puissances végétales. Quoi qu'il en soit, comme les Muses, elles appartiennent au cortège d'Apollon, parfois même à celui de Dionysos, dans tous les cas, c'est la musique, la beauté et la joie sous toutes ses formes qui les occupent. On les représente en général comme trois jeunes filles ravissantes, nues, qui se tiennent par

“ VIENNENT ENSUITE LES HEURES, QUI SONT D'ABORD DES DIVINITÉS DES SAISONS MAIS QUI, PLUS TARD, EN VIENDRONT AUSSI À DÉSIGNER LES HEURES DU JOUR ET DE LA NUIT. ELLES SONT DES FILLES DE ZEUS ET DE THÉMIS, DONC DES SŒURS DES MOIRES, DES DESTINÉES

le cou et qui sont inséparables, reliées entre elles par l'idéal d'Harmonie qui justifie leur place au cœur de la montagne des immortels. Du reste, ce sont elles qui se sont occupées de tisser la robe de mariée d'Harmonie, fille d'Aphrodite et d'Arès, pour ses noces avec Cadmos, le fondateur de Thèbes que nous retrouverons notamment dans la légende de Dionysos.

Viennent ensuite les Heures, qui sont d'abord des divinités des saisons mais qui, plus tard, en viendront aussi à désigner les heures du jour et de la nuit. Elles sont des filles de Zeus et de Thémis, donc des sœurs des Moires, des Destinées, dont je vous parlerai dans un instant. Elles

***Les Trois Grâces,* huile sur toile de 1871, de Battista Naldini.**

aussi sont trois et s'appellent Dikè, Eunomia et Irénée, c'est-à-dire justice, droiture (littéralement : bonne loi) et paix. Comme les Charites, elles sont des divinités de la végétation, elles font croître les plantes, mais à l'idée de beauté qui domine le monde des Grâces, elles ajoutent celle, complémentaire, d'ordonnancement paisible et harmonieux, en quoi, à nouveau, la fonction cosmologique apparaît comme essentielle.

Un mot, enfin, sur les Moires (qui deviendront en latin les Parques), les divinités du destin (en grec : *moira*). À vrai dire, elles sont la personnification du destin qui domine la vie de chacun d'entre nous. Là encore, ce sont trois sœurs, Atropos, Clotho et Lachésis, filles de Zeus

> **ELLES SYMBOLISENT UN ÉLÉMENT ESSENTIEL QU'ON RETROUVERA DANS LA TRAGÉDIE GRECQUE, QUAND NOUS PARLERONS D'ŒDIPE ET D'ANTIGONE, À SAVOIR L'IDÉE QUE NOS EXISTENCES SONT UN MÉLANGE DE DESTIN ET DE LIBERTÉ, DE NÉCESSITÉ FATALE ET DE CHOIX CONSCIENT**

et de Thémis. Ce sont elles qui déterminent la durée de nos vies à l'aide d'un fil que l'une file, la seconde enroule et la troisième coupe quand le moment de la mort est venu. Bien qu'elles n'aient pas de véritable personnalité, elles symbolisent un élément essentiel qu'on retrouvera dans la tragédie grecque, quand nous parlerons d'Œdipe et d'Antigone, à savoir l'idée que nos existences sont un mélange de destin et de liberté, de nécessité fatale et de choix conscient, la part qui revient à la fatalité aveugle étant le plus souvent beaucoup plus importante que celle des intentions claires.

De manière significative, quand les relations amoureuses de Zeus ne semblent avoir aucune signification autre qu'érotique, c'est avec des nymphes, voire avec des mortelles qu'il préfère le plus souvent s'unir. Impossible ici de les dénombrer tant elles sont multiples et diverses, de Io à Europe en passant par Callisto ou Égine. Pourquoi des divinités secondaires, voire de simples humains ? Parce qu'elles sont moins parfaites, plus fragiles, parce que, s'agissant des jeunes femmes en particulier, leur beauté n'a qu'un temps, qu'elle est vouée à se faner – cette dimension de l'éphémère, voire de l'imparfait, ayant quelque chose d'infiniment touchant, comme si la perfection et l'éternité finissaient par lasser par manque d'originalité, de singularité, de vie et de mouvement. Réfléchissez par vous-même à ce que vous aimez, et vous verrez que la singularité est sans doute l'élément essentiel de l'amour, « parce que c'était lui, parce que c'était moi », dira Montaigne à propos de son ami La Boétie. Là où la perfection des déesses a finalement quelque chose d'interchangeable, la fragilité des êtres humains les rend parfois irremplaçables, de sorte que les cueillir à temps, quand ils sont au sommet de leur grâce et de leur beauté, juste avant qu'elle ne commence à se faner, est pour Zeus un plaisir incomparable.

Il y aurait encore beaucoup à dire sur l'attrait du fragile, de l'imparfait, de l'éphémère, du singulier, mais **venons-en tout de suite à l'essentiel, au quatrième et dernier trait des amours de Zeus, je veux dire à leur aspect cosmologique** : c'est celui que nous allons voir tout particulièrement illustré dans les relations de Zeus avec Alcmène et Danaé, relations qui donneront lieu à la naissance de deux héros, à vrai dire deux « lieutenants » particulièrement prestigieux et efficaces : Héraclès et Persée.

Pieter Lastman,
Héra découvrant Zeus avec Io, 1618.

LA LÉGENDE D'HÉRACLÈS

À tout seigneur tout honneur, commençons par la légende de cet Héraclès qui deviendra Hercule chez les Romains. C'est sans doute l'une des plus anciennes de toute la mythologie grecque. Homère et Hésiode nous en parlent déjà, ce qui nous prouve qu'elle était, dès les VIIIe/VIIe siècles avant J.-C., certainement bien connue de leur public. Héraclès est aussi, et de loin, le héros grec le plus célèbre – pour sa force légendaire, pour son courage incomparable, pour ses exploits fabuleux, pour son sens de la justice, *Dikè*. Des centaines de milliers de pages ont été écrites à son sujet. Des tableaux, des statues, des poèmes, des livres, des films, des dessins animés, des bandes dessinées en nombre presque infini lui ont été consacrés. Dès l'Antiquité, tous les mythographes, poètes, tragédiens et même philosophes évoquent, chacun à leur façon, des épisodes de sa vie. Au point

PAS UN SEUL EXPLOIT DE NOTRE HÉROS, PAS UN MOMENT DE SON EXISTENCE, JUSQU'À L'ORIGINE MÊME DE SON NOM, QUI NE FASSE L'OBJET DE RÉCITS MULTIPLES

que les événements qui scandent le cours de son histoire font tous, sans exception, l'objet d'une variété impressionnante de versions différentes. Pas un seul exploit de notre héros, pas un moment de son existence, jusqu'à l'origine même de son nom, qui ne fasse l'objet de récits multiples – l'imaginaire grec étant à son sujet pratiquement sans limites.

Voilà pourquoi il ne faut pas vous fier aux livres ou aux films qui racontent tranquillement sa vie, de manière linéaire, comme s'il s'agissait d'un récit unique, admis par tous sur la base d'un texte canonique. On frise ici l'imposture. Il n'y a guère qu'à propos de trois événements clefs que les multiples variantes convergent – et encore très approximativement : sa naissance, les fameux « douze travaux » et sa mort, précédant son « apothéose », c'est-à-dire, au sens étymologique du terme (« *apo-théos* » = devenir un dieu), sa divinisation, son passage du statut d'être humain mortel à celui d'immortel bienheureux. Ce sont ces trois moments que je vais vous raconter de façon aussi cohérente que possible, mais sans vous cacher non plus, le cas échéant, les variantes les plus significatives et en vous indiquant au passage les textes originaux qui nous servent de source, afin que vous puissiez les retrouver. J'essaierai de suivre les récits les plus profonds et les plus riches, ceux qui semblent avoir donné lieu à une culture commune au sein du monde grec. Car c'est finalement cela qui importe si l'on veut comprendre comment la légende d'Héraclès a pu à plus d'un titre fournir un modèle de sagesse que la philosophie, en particulier le stoïcisme, reprendra pour une bonne part à son compte en lui donnant une forme rationnelle.

LE STRATAGÈME DE ZEUS ET LA NAISSANCE D'HÉRACLÈS D'APRÈS LE POÈME D'HÉSIODE

Imaginez la scène suivante : Zeus est assis sur son trône, au sommet de l'Olympe. Seul, il a l'air fort préoccupé, absorbé par ses réflexions. Il réfléchit tout haut, et on l'entend penser à peu près en ces termes :

« *Maintenant que j'ai gagné la guerre contre les forces du chaos, contre les Titans, les Géants et même ce pauvre fou de Typhon, comment vais-je garantir la paix ? Il me faut absolument un représentant sur terre, un lieutenant, quelqu'un qui puisse, comme je l'ai fait moi-même, rétablir l'harmonie de l'univers chaque fois qu'elle est menacée par des monstres, par la résurgence toujours possible des puissances originelles de destruction. Il me faut un colosse, un être dévoué à ma cause, celle de l'harmonie et de la justice, un être doué d'une force surhumaine, capable de relever tous les défis, de surmonter tous les obstacles, de terrasser tous ceux qui menacent le magnifique ordre cosmique que je viens d'instaurer. Mais où le trouver ? »*

Zeus continue à méditer, puis, tout d'un coup, on l'entend s'exclamer avec l'air de celui qui vient de résoudre un problème délicat (genre « Bon Dieu mais c'est bien sûr ! ») :
« Ça y est, j'y suis, je tiens la solution ! Je vais moi-même faire un enfant à une mortelle. Du coup, ce fils sera un demi-dieu, divin par son père, humain par sa mère, ce qui lui permettra d'être à cheval sur les deux mondes, à la fois de la terre et du ciel, des hommes et de l'Olympe ! Il faut seulement que je trouve une femme exceptionnelle… et si possible ravissante ! »

À cette dernière pensée, le sourire de Zeus devient légèrement égrillard et, du haut de l'Olympe, on le voit examiner la terre des hommes pour y trouver la femme idéale.

Zoom sur la planète. Son regard s'arrête sur la ravissante Alcmène qui s'affaire dans son palais…
À nouveau on entend Zeus réfléchir tout haut :
« Cette Alcmène me semble parfaite ! Intelligente, courageuse, sensuelle et belle comme le jour. Elle me donnera exactement le fils qu'il me faut. Il y

Fresque de Pompéi représentant Persée et Andromède.

a bien un détail un peu ennuyeux : elle est mariée avec ce brave Amphitryon, un type estimable et courageux lui aussi. Qu'à cela ne tienne ! Je vois qu'il s'apprête justement à partir faire la guerre. Je vais me transformer en son sosie, et je prendrai sa place pendant qu'il est absent, et quand il reviendra, il sera papa ! »

PERSÉE EST DONC L'ARRIÈRE-GRAND-PÈRE D'HÉRACLÈS... ET, EN MÊME TEMPS, IL EST AUSSI SON DEMI-FRÈRE, PUISQU'IL EST LUI AUSSI FILS DE ZEUS !

Zeus en est tout sourire à l'avance, tout ravi du bon tour qu'il est en train de mijoter.

Imaginons toujours (mais en suivant malgré tout le texte du *Bouclier* que vous pouvez lire facilement par vous-même). On redescend de l'Olympe et on re-zoome sur terre.

On se retrouve dans la maison d'Alcmène, un petit palais ravissant. On est donc chez la femme mortelle qui va devenir la mère d'Héraclès et qui vient d'épouser Amphitryon. On notera au passage qu'Alcmène et Amphitryon sont cousins germains. Leurs pères sont frères, et ils sont tous les deux des fils d'un autre fameux héros grec, Persée. Persée est donc l'arrière-grand-père d'Héraclès... et, en même temps, il est aussi son demi-frère, puisqu'il est lui aussi fils de Zeus ! Les généalogies sont parfois un peu compliquées à comprendre pour nous, simples mortels, quand il s'agit des enfants des dieux. Comme Héraclès, Persée deviendra un célèbre tueur de monstres, puisqu'il affrontera victorieusement la terrible Gorgone, Méduse, au cours d'une série d'aventures sur lesquelles nous allons revenir dans un prochain livret.

Alcmène s'adresse à son mari, l'air plutôt courroucé, sourcils froncés, plus jolie et séduisante que jamais :
« *Amphitryon, tu es mon mari et je t'aime. Mais mes frères ont été tués par les fils de l'ignoble Ptérélas, le roi des Téléboens, avec l'aide des habitants de l'île de Taphos. Tant que tu ne les auras pas vengés, tu sais bien que mon père, Électryon, le roi de Mycènes, m'a fait jurer de ne jamais te laisser partager mon lit. Impossible de nous aimer tant que cet affront ne sera pas lavé !* »

Amphitryon prend la douce Alcmène dans ses bras. Il l'embrasse. Elle le repousse gentiment, mais fermement. Alors il lui dit :
« *Puisque c'est comme ça, je partirai avec une armée faire la guerre contre les Taphiens et les Téléboens. Je vengerai tes frères, je te le promets. Et quand je l'aurai gagnée, cette guerre, je reviendrai et tu seras mienne. Nous aurons des enfants et nous vivrons heureux. Je veux que tu sois fière de moi, mais je voudrais aussi que mon père, Alcée, le roi de Tirynthe, le soit aussi... Cela dit, les Téléboens sont de rudes guerriers et si je veux les massacrer, il me faudra l'aide du roi de Thèbes, Créon, et de ses armées. Je vais aller le voir sur-le-champ.* »

Amphitryon revêt ses armes, monte sur son char et se rend au palais de Créon. Il demande audience, entre dans le salon d'honneur puis expose son problème au roi de Thèbes : il a absolument besoin de son aide pour faire la guerre aux habitants de l'île de Taphos ainsi qu'aux Téléboens pour venger les frères de sa femme, etc., etc.
Créon, en retour, lui propose un marché :
Créon : « *Je veux bien t'aider, Amphitryon, mais à une condition. Il faut que tu me rendes d'abord un service. Il y a dans les parages de la ville un renard monstrueux qui rôde et dévaste les troupeaux, qui dévore même parfois les petits enfants. Ce renard est démoniaque, doté de pouvoirs surnaturels : figure-toi*

Vue de Thèbes, par Hugh William Williams (1773-1829).

que, par un don des dieux, il ne peut jamais être rattrapé à la course par quiconque le poursuit, de sorte que tous mes chasseurs ont échoué à nous en débarrasser. Si tu y parviens, je mettrai mon armée à ta disposition. »

Amphitryon : « *Merci à toi, grand roi. Ton renard, j'en fais mon affaire. Je connais un chien de chasse extraordinaire lui aussi, originaire de Crète, on l'appelle le chien de Pocris. Les oracles ont prédit que rien, aucun animal ni aucun humain, ne pouvait lui échapper à la course. Je vais aller le chercher et ton renard, fais-moi confiance, je te le rapporterai pendu par la queue !* »
Amphitryon s'arrange pour retrouver le chien de Pocris, puis il revient

poursuivre le renard monstrueux, en effet manifestement doté de pouvoirs surnaturels, qui dévore les troupeaux et les petits enfants et qu'aucun chien, ni aucun humain, ni aucun cheval ne peut rattraper à la course : on a affaire là, bien évidemment, à deux êtres qui n'appartiennent pas au monde normal des animaux. La course commence, mais comme les oracles l'ont prévu, aucune des deux bêtes ne peut surpasser l'autre. La poursuite entre eux s'éternise : chaque fois que le chien rattrape le renard, le renard s'échappe, etc.

Pendant ce temps-là, Zeus continue d'observer les événements du haut de l'Olympe :
Zeus : « *Décidément, cette histoire de chien et de renard n'arrange pas mes affaires. Il faut que j'y mette un terme aussi vite que possible afin qu'Amphitryon parte enfin faire sa guerre et que je puisse en profiter pour le remplacer auprès de sa femme. Assez joué, passons aux choses sérieuses !* »

Résumons la suite. Se saisissant de ses armes favorites, Zeus foudroie les deux bestioles qui se figent, littéralement pétrifiées, transformées en statuts de pierre. Amphitryon assiste à la pétrification du renard et, bien que ce soit avec l'aide de Zeus, une aide dont il ne mesure pas le prix, il a quand même rempli la condition posée par Créon : les Thébains sont enfin débarrassés du fléau. Il retourne au palais du roi de Thèbes et dépose à ses pieds la statue du renard pétrifié. Du coup, Créon remplit à son tour l'autre partie du contrat : Amphitryon aura l'alliance des Thébains contre les Téléboens du roi Ptérélas pour aller venger les frères d'Alcmène.
Zeus, toujours du haut de l'Olympe, continue d'observer les événements terrestres. Il aperçoit Amphitryon partir à la tête de sa nouvelle armée. Il le voit se conduire en guerrier courageux dans les combats.

Il dévaste littéralement l'île de Taphos et il s'apprête à massacrer ses habitants, les Taphiens, mais un oracle a prédit que l'île ne pouvait être prise et mise à sac qu'après la mort du roi Ptérélas. Un conseiller militaire d'Amphitryon lui apprend la légende de Taphos : la vie du roi Ptérélas est protégée par un fil, à vrai dire un cheveu d'or caché

C'EST ALORS QUE L'ÎLE DE TAPHOS TOMBE AUX MAINS D'AMPHITRYON QUI EN MASSACRE TOUS LES HABITANTS, Y COMPRIS LA MALHEUREUSE COMAETHO, CAR IL NE FAUT JAMAIS SE FIER AUX TRAÎTRES

dans sa chevelure. Qu'à cela ne tienne : il se trouve que Comaetho, la fille de Ptérélas, tombe folle amoureuse d'Amphitryon dès qu'elle le voit pénétrer dans l'île à la tête de son armée sur son char magnifique. Pour le séduire, elle entre la nuit dans la chambre de son père et coupe le cheveu d'or. C'est alors que l'île de Taphos tombe aux mains d'Amphitryon qui en massacre tous les habitants, y compris la malheureuse Comaetho, car il ne faut jamais se fier aux traîtres. Scènes de pillage, de torture, d'exécution : les guerres de l'époque étaient tout aussi effroyables que les nôtres. Les soldats d'Amphitryon et Amphitryon lui-même massacrent les prisonniers, violent les prisonnières, puis se partagent le butin qu'ils ont pris à leurs adversaires. Au passage, Amphitryon choisit des bijoux, notamment une magnifique coupe d'or du roi Ptérélas dont il veut faire présent à Alcmène dès son retour victorieux dans son palais.

Scène de l'enfance d'Héraclès, tableau attribué à Bernardino Mei, 1676 au plus tard.

Il espère bien ainsi gagner ses bonnes grâces et entrer enfin dans son lit. C'est à ce moment précis que Zeus prend sa place, qu'il se change en sosie d'Amphitryon. Tout simplement, il devient son double parfait. Il descend de l'Olympe et il entre dans la demeure d'Alcmène comme s'il était son mari, comme s'il revenait de la guerre. Ils s'embrassent, on apporte un fauteuil, Alcmène fait venir des cratères, du vin, des mets délicieux, et Zeus, qui lui tient les mains amoureusement, a le toupet de lui raconter ses exploits, de lui dire comment il a séduit Comaetho, comment elle a arraché le cheveu d'or qui protégeait son père et les habitants de l'île, comment il a vaincu les Taphiens et les Téléboens, comment il a mis Comaetho à mort, massacré les habitants, tout comme si c'était lui qui avait accompli ces exploits. Il va jusqu'à lui offrir les bijoux, la magnifique coupe d'or qu'il a arrachée pour elle à l'ennemi. Et bien entendu, tout à la fois satisfaite du travail accompli par son mari pour venger ses frères et séduite par un homme manifestement aussi brave, Alcmène accepte enfin de coucher avec lui – c'est-à-dire, en vérité, avec Zeus, qui, comme prévu, la met aussitôt enceinte du petit Héraclès. Zeus trouve Alcmène si belle qu'il s'adresse à Hélios, le dieu Soleil, et il lui ordonne de se mettre en veille, de ne surtout pas se lever trop tôt, afin que sa nuit d'amour avec Alcmène dure… trois jours entiers !

C'EST À CE MOMENT PRÉCIS QUE ZEUS PREND SA PLACE, QU'IL SE CHANGE EN SOSIE D'AMPHITRYON. TOUT SIMPLEMENT, IL DEVIENT SON DOUBLE PARFAIT. IL DESCEND DE L'OLYMPE ET IL ENTRE DANS LA DEMEURE D'ALCMÈNE COMME S'IL ÉTAIT SON MARI, COMME S'IL REVENAIT DE LA GUERRE

AMPHITRYON, AU LENDEMAIN, TROUVE QUAND MÊME TOUT CELA SI ÉTRANGE QU'IL VA CONSULTER UN CÉLÈBRE DEVIN, TIRÉSIAS, UN AVEUGLE QUI SAIT DIRE L'AVENIR, MAIS AUSSI LE PASSÉ, COMME NUL AUTRE. TIRÉSIAS LUI RÉVÈLE LA RUSE DE ZEUS

Mais c'est là que les choses se corsent.

Car Amphitryon est lui aussi en chemin vers sa belle. Il arrive juste au moment où Zeus quitte son palais par une porte dérobée pour retourner sur l'Olympe, enchanté des trois nuits d'amour qu'il a passées dans le lit d'Alcmène. Rentré chez lui, le véritable Amphitryon raconte à son tour exactement les mêmes aventures à Alcmène, qui le trouve pour le coup aussi bizarre qu'ennuyeux : il lui répète exactement la même chose, comme si elle ne le savait pas déjà ! Elle ne cesse de lui dire : « *Mais Amphitryon, je sais tout ça déjà, que t'arrive-t-il, tu me l'as déjà dit* », etc. Lui est sidéré de voir qu'elle l'accueille sans enthousiasme, sidéré de voir que tout se passe comme si elle savait déjà tout de ce qu'il lui raconte. De son côté, elle est tout autant interloquée quand il lui tend une seconde fois exactement les mêmes bijoux, la même coupe déjà offerte en cadeau trois jours plus tôt ! Et lui ne comprend pas davantage comment ces présents se trouvent déjà en possession d'Alcmène. Mais enfin, il a rempli son contrat, vengé ses frères, tué Ptérélas et, du coup, bien qu'un peu lasse et, il faut bien le dire, épuisée par Zeus, elle couche quand même avec lui « à nouveau » (si l'on peut dire). Amphitryon lui fait un second enfant : ce sera Iphiclès, le frère jumeau d'Héraclès, qui naîtra un jour après lui, mais pas du même père.

Amphitryon, au lendemain, trouve quand même tout cela si étrange qu'il va consulter un célèbre devin, Tirésias, un aveugle qui sait dire l'avenir, mais aussi le passé, comme nul autre. Tirésias lui révèle la ruse de Zeus de sorte qu'Amphitryon comprend tout. Tout s'éclaire enfin, tout ce qu'il trouvait si singulier dans le comportement d'Alcmène prend sens ! Il décide alors de sauver son honneur. Il fait enchaîner Alcmène, non sans l'avoir copieusement insultée au préalable, puis il fait préparer un grand bûcher, il y attache la malheureuse, mais quand les flammes commencent à lécher les bûches, Zeus, qui continue d'observer tout cela du haut de l'Olympe, déclenche une formidable averse qui éteint le feu. Puis il descend sur terre, apparaît en personne à Amphitryon et lui dit de se calmer, qu'Alcmène ne l'a pas trahi, et qu'il devrait du reste être honoré que le roi des dieux ait couché avec sa femme ! Amphitryon se calme, en effet, il accepte son sort et pardonne à Alcmène, enceinte des jumeaux, Iphiclès et Héraclès...

Puis vient le moment de l'accouchement. Les deux petits naissent enfin, Héraclès le premier, Iphiclès un jour plus tard, et ce brave Amphitryon promet à Alcmène qu'il élèvera et aimera ses deux enfants comme s'ils étaient tous deux les siens. Du reste, il ne sait pas d'entrée de jeu lequel est son fils et lequel le fils de Zeus. Une anecdote va bientôt le lui révéler...

Mais avant de vous la conter, une citation du *Bouclier* d'Hésiode pour que, comme toujours, vous ayez les sources originelles de toutes ces aventures des dieux et que vous les entendiez comme on les racontait à l'époque (mes commentaires sont ajoutés entre parenthèses) :

« **Le père des dieux et des hommes [...] voulait pour les dieux autant que pour les hommes créer un défenseur contre le danger** (il s'agit bien entendu de Zeus qui veut créer Héraclès pour terrasser les résurgences toujours possibles sous formes de monstres des forces titanesques et chaotiques des origines). **Il s'élança donc du haut de l'Olympe, bâtissant un piège en son âme et convoitant l'amour de la femme à la belle ceinture** (Alcmène). **C'était la nuit. Vite, il fut au Typhaonion** (il s'agit de la montagne de Béotie sous laquelle est enfermé Typhon) **et de là, gagnant le sommet du Phikion, Zeus à la vive intelligence s'y assit et, en son âme, il méditait de merveilleux exploits. La même nuit, uni par l'étreinte d'amour à l'Électryonide aux fines chevilles** (= Alcmène, la fille d'Électryon) **il satisfit son désir. Et la même nuit, Amphitryon, le meneur de guerriers, le héros éclatant, ayant achevé son orgueilleux exploit, rentra en son palais. Il n'avait pas été d'abord trouver ses serviteurs ou ses bergers aux champs ; il avait voulu avant tout monter au lit de son épouse tant le désir tenait le cœur de ce chef de guerriers ; et la nuit tout entière, étendu auprès de sa chaste compagne, il se laissait charmer aux présents d'Aphrodite scintillante d'or. Et elle, ayant subi, après la loi d'un dieu, celle d'un héros, brave entre les braves, dans Thèbes aux sept portes, enfanta deux fils jumeaux. Mais, tout frères qu'ils fussent, il n'avait pas pour cela le même cœur. L'un ne valait pas l'autre, qui était un héros bien au-dessus de tous, terrible et puissant, Héraclès le Fort. Elle l'avait conçu en subissant la loi du fils de Cronos à la nuée noire tandis qu'Iphiclès était né d'Amphitryon lanceur de javelines... »**

L'ORIGINE DE LA VOIE LACTÉE ET LA COLÈRE D'HÉRA

Comme on pouvait s'y attendre, du haut de l'Olympe, Héra a elle aussi tout vu, tout observé et tout compris de la ruse de son mari. Elle l'a parfaitement vu la tromper avec Alcmène, elle a vu naître Héraclès, elle a même, on va comprendre pourquoi dans quelques instants, tout fait pour retarder sa naissance. Comme il symbolise

l'infidélité de son mari, elle le prend en haine et elle jure qu'elle se vengera. Mais Zeus, lui, tient à ce que son fils devienne plus tard un dieu. On le voit à nouveau réfléchir à cette destinée qu'il connaît déjà : il sait qu'un jour, Héraclès, après sa mort d'humain, viendra habiter avec lui sur l'Olympe, au milieu des immortels dont il sera devenu un des membres. Mais pour cela, il faut le nourrir avec la nourriture des dieux, l'ambroisie (en grec, le mot « ambroisie » : *a – (m) brotoi*, signifie tout simplement : « non mortel » : les dieux ne mangent pas nos aliments, de la viande ou du pain, ils n'en ont pas besoin et ils se nourrissent, juste pour le plaisir, de nectar et d'ambroisie).
Zeus convoque donc Hermès, un de ses nombreux fils, mais surtout son messager et son plus fidèle serviteur sur l'Olympe. Il le charge de mettre le petit Héraclès au sein d'Héra pendant son sommeil. Car de son sein coule bien entendu de la nourriture divine qui permettra au bébé de devenir immortel. Mais Héra se réveille : Héraclès est tellement goulu qu'il lui a mordu le sein ! Ouvrant l'œil à demi, elle est saisie d'horreur à la vue de ce petit être qui lui rappelle encore et toujours l'infidélité de Zeus. Elle le repousse avec une extrême violence, elle l'arrache littéralement de sa poitrine, une gigantesque giclée de gouttes de lait se répand alors dans le ciel, et c'est ainsi qu'Héraclès donne naissance à la voie lactée. Héra, furieuse, jure à

ZEUS LE CHARGE DE METTRE LE PETIT HÉRACLÈS AU SEIN D'HÉRA PENDANT SON SOMMEIL. CAR DE SON SEIN COULE BIEN ENTENDU DE LA NOURRITURE DIVINE QUI PERMETTRA AU BÉBÉ DE DEVENIR IMMORTEL

nouveau de se venger. Cela dit, le petit monstre possède des dons exceptionnels, incroyables pour son âge, comme en témoignent ses premiers exploits.

LES PREMIERS EXPLOITS D'HÉRACLÈS

D'abord, l'histoire fameuse des deux serpents

Alcmène, toujours aussi douce et belle, vient de mettre au lit ses deux bébés, Iphiclès dans un berceau, Héraclès dans un autre, le tout dans une jolie petite chambre commune. Rappelons qu'à ce stade ni elle ni son mari ne savent lequel des deux enfants est le fils de Zeus. Elle les embrasse, leur raconte un mythe pour les endormir, elle les câline, puis elle souffle la lampe à huile et sort de la pièce. Aussitôt après, on voit Héra entrer à pas de loup. Les jumeaux dorment, ils sont encore tout petits, âgés de quelques mois seulement. Héra sort alors d'un grand sac deux vipères monstrueuses, et elle les laisse se glisser silencieusement dans les berceaux. Héraclès se réveille, Iphiclès aussi, qui se met à gémir, à hurler de peur et qui s'enfuit comme il peut à quatre pattes ! Héraclès, le regard furieux, adopte l'attitude inverse : au lieu de fuir, il fait face. Il saisit les serpents au col et il leur sert le cou tant et si bien qu'il les étrangle et les met à mort. Alcmène et Amphitryon, alertés par les cris d'Iphiclès, entrent dans la chambre et, pétrifiés d'horreur, comprennent ce qui vient de se passer. Du coup, Amphitryon n'a plus le moindre doute : il devine aussitôt qui est son fils et qui est celui de Zeus. Sidéré par l'exploit du petit Héraclès, il prend conscience qu'il est bien parti pour une carrière de héros.

Nombre de peintures antiques représenteront la scène de manière impressionnante : on y voit Héraclès, tout bébé, serrant dans chaque main un serpent qu'il étouffe. Voilà qui, pour un enfant âgé de moins de un an, annonce bel et bien une carrière héroïque incomparable.

Peter Paul Rubens (1577-1640), huile sur toile représentant la création de la voie lactée.

La mort de Linos, frère d'Orphée et professeur de musique

Suivons encore l'évolution d'Héraclès. Il a maintenant dix ou onze ans. Il est déjà colossal, mais on voit quand même qu'il n'est pas encore tout à fait sorti de l'enfance. Il reçoit une éducation très complète. Amphitryon lui montre comment conduire un char. Castor, l'illustre frère de Pollux (ceux qu'on appelle les « Dioscures », les jumeaux, qui sont aussi, en tout cas pour l'un d'entre eux, des fils de Zeus), lui apprend lui-même le maniement de l'épée, tandis que d'autres valeureux soldats lui enseignent le tir à l'arc, la lutte à mains nues, le lancer de disque, de javelot, etc. Mais déjà, c'est lui qui l'emporte contre ses professeurs ! Quant à ce qu'on appellerait aujourd'hui les « humanités », c'est-à-dire les lettres et les arts, Héraclès n'est pas très doué. Il s'y ennuie à mourir...

Il a notamment un professeur de musique, Linos, qui n'est autre que le frère d'Orphée, le plus grand musicien de tous les temps. Avec son faux jumeau, Iphiclès, Héraclès est obligé de suivre les leçons de Linos. Iphiclès se montre fort sage tandis que le petit Héraclès est dissipé, instable, turbulent, peu obéissant, souvent même révolté au point qu'un jour Linos lui fait quelques remontrances. Elles sont peut-être un peu vives, mais tout de même justifiées. Exaspéré par l'inconduite d'Héraclès, le professeur n'en peut plus, il veut lui flanquer la correction qu'il mérite et se met à le poursuivre, sa cithare à la main. Mais le petit Héraclès se met en colère et, comme avec les serpents, il se retourne, fâché tout rouge, et il fait face. Il arrache la lyre de Linos et, tout simplement, il l'écrase sur la tête du malheureux dont le crâne explose littéralement ! À vrai dire, il s'acharne sur Linos et lui réduit le visage en bouillie tant et si bien que le professeur passe de vie à trépas. Malgré son tout jeune âge, Héraclès est traduit en justice. Plaidant la légitime défense et citant à ce propos un article du grand juriste

OÙ L'ON DOIT REMARQUER QUE, MALGRÉ SA PART D'OMBRE ET DE VIOLENCE, HÉRACLÈS S'APPUIE TOUJOURS SUR DIKÈ, SUR LA JUSTICE. C'EST UN DUR, UN VIOLENT MÊME, CE N'EST NI UN TENDRE NI UN POÈTE, MAIS IL POSSÈDE UN COURAGE À TOUTE ÉPREUVE ET SON SOUCI DU DROIT N'EST JAMAIS PRIS EN DÉFAUT

Rhadamanthe (un des frères du roi Minos) expliquant que, dans ces conditions, il peut être licite de tuer son adversaire, Héraclès est finalement acquitté. Où l'on doit remarquer que, malgré sa part d'ombre et de violence, Héraclès s'appuie toujours sur *Dikè*, sur la justice. C'est un dur, un violent même, ce n'est ni un tendre ni un poète, mais il possède un courage à toute épreuve et son souci du droit n'est jamais pris en défaut. C'est vraiment un soldat de Zeus comme il va le prouver de manière éclatante au cours des douze travaux qu'Héra va bientôt lui imposer pour tenter de se venger et d'en finir avec lui. Mais avant d'en venir à ces fameux travaux, il y a encore quelques aventures à conter...

Le lion de Cesterion et les cinquante fils d'Héraclès

Les années passent. Héraclès grandit. C'est encore un tout jeune homme, mais il est déjà très impressionnant. Inquiet devant la violence qui habite de façon sans cesse plus évidente celui qu'il considère malgré tout comme son fils, Amphitryon décide de l'éloigner un temps de sa maison. Pour essayer de le calmer, il l'envoie à la campagne garder ses troupeaux dans une région proche de Thèbes, la ville où Héraclès est né. Or il se trouve justement que, dans cette

PENDANT CINQUANTE JOURS, HÉRACLÈS POURSUIT INLASSABLEMENT L'ANIMAL. CHAQUE FIN DE JOURNÉE, IL RENTRE DANS LA DEMEURE DE THESPIOS... QUI S'ARRANGE POUR GLISSER CHAQUE NUIT UNE DE SES FILLES DANS LA COUCHE DU HÉROS

contrée sauvage, un lion terrifiant s'en prend chaque jour aux troupeaux d'Amphitryon, mais aussi à ceux d'un certain Thespios, un voisin et ami de la famille. Voyant le bétail de son père et de Thespios décimé, Héraclès, qui vient d'avoir seize ans, mais qui n'en a pas moins atteint sa taille adulte et possède une stature ainsi qu'une force prodigieuses, ne fait ni une ni deux : il prend ses armes et se lance à la poursuite du lion. Pour être au plus près de la bête qu'il traque, il se rend auprès de Thespios, qui n'est que trop heureux d'offrir l'hospitalité à un être manifestement si exceptionnel qu'il ne peut qu'être divin.

Pendant cinquante jours, Héraclès poursuit inlassablement l'animal. Chaque fin de journée, il rentre dans la demeure de Thespios... qui s'arrange pour glisser chaque nuit une de ses filles dans la couche du héros. Un peu fatigué par ses courses dans la montagne, Héraclès ne fait pas trop attention : il croit, chaque fois, coucher avec la même jeune fille. Erreur, Thespios a cinquante filles qui se ressemblent comme des jumelles. Ce qui tombe bien : c'est juste le nombre de nuits qu'Héraclès va passer chez lui, juste le temps qu'il lui faudra aussi pour retrouver et, finalement, tuer le lion au cours d'un combat terrible. Et de ses cinquante unions nocturnes naîtront cinquante fils !

Ce qui fait donc déjà trois exploits : terrasser deux serpents à mains nues avant l'âge de un an, tuer un malheureux adulte, Linos, avant même l'adolescence, puis un lion à seize ans et, au même âge, se retrouver père de cinquante enfants en seulement cinquante nuits : quel homme !

Les Minyens d'Orchomène et la mort d'Erginos

Héraclès décide de regagner enfin sa maison, à Thèbes, pour retrouver ses parents. En s'en retournant de sa chasse au lion, il croise des messagers d'un roi de Béotie, un certain Erginos, qui, après avoir remporté la victoire au cours d'une guerre contre les habitants de Thèbes, avait exigé d'eux qu'ils payent pendant vingt ans, chaque année, en guise de réparation, un tribut de cent bœufs. Pas de chance pour eux, Héraclès est né à Thèbes et, en tant que lui-même Thébain, il juge évidemment ce tribut injuste.

Comme toujours, il ne s'embarrasse pas de scrupules inutiles :

Il provoque les messagers d'Erginos. Ces messagers sont des soldats valeureux, aguerris, et face à celui qui n'est encore malgré tout qu'un gamin, ils ne se laissent pas faire. Ils répondent aux injures que leur a lancées Héraclès. Mal leur en prend : il les attrape par la peau du dos et, en guise de discussion, il leur coupe le nez, les oreilles et les mains ! Puis il en fait un collier, l'attache autour de leur cou et les renvoie tout sanguinolents à Erginos, avec pour toute instruction de lui dire que ce sera désormais le seul et unique tribut que lui paieront les Thébains ! Comme on s'en doute, Erginos n'est pas vraiment ravi. Dans son palais, il pique une colère noire. Puis il rassemble ses troupes et part à nouveau livrer bataille contre les Thébains. Seulement voilà, ils ont maintenant Héraclès avec eux et, du coup, avec le héros et son arc à leur tête, les Thébains laminent littéralement l'armée d'Erginos.

MAL LEUR EN PREND : IL LES ATTRAPE PAR LA PEAU DU DOS ET, EN GUISE DE DISCUSSION, IL LEUR COUPE LE NEZ, LES OREILLES ET LES MAINS ! PUIS IL EN FAIT UN COLLIER, L'ATTACHE AUTOUR DE LEUR COU ET LES RENVOIE TOUT SANGUINOLENTS À ERGINOS

Malheureusement, au cours des combats, Amphitryon, qui a pris part lui aussi à la guerre, est tué. En guise de récompense, Créon, le roi de Thèbes, l'oncle d'Antigone et d'Œdipe, propose à Héraclès d'épouser sa fille, Mégara.
Où l'on voit combien Héraclès est un personnage sombre, tragique, ce qu'Apollodore ne manque d'ailleurs pas de laisser entendre quand il décrit cet épisode de la vie du héros encore tout jeune homme :

« Erginos marcha contre Thèbes, tua un bon nombre de Thébains et conclut un traité, garanti par des serments, qui stipulait que les Thébains lui enverraient pendant vingt ans un tribut de cent vaches par an. Héraclès rencontra les messagers qui allaient à Thèbes chercher ce tribut et il leur infligea un traitement ignominieux : il leur coupa les oreilles, le nez et les mains, il les leur attacha au cou avec des cordes et leur dit de rapporter cela en guise de tribut à Erginos et aux Myniens. Indigné par ce traitement, Erginos marcha contre Thèbes. Héraclès, qui avait reçu des armes d'Athéna, prit le commandement, tua Erginos, mit en fuite les Myniens et les obligea à verser aux Thébains un tribut double du leur. Mais il arriva qu'au cours de la bataille Amphitryon trouva la mort en combattant vaillamment. À titre de récompense honorifique, Héraclès reçut de Créon sa fille aînée, Mégara... »

Héraclès et Athéna. Médaillon d'un kylix attique à figures rouges, 480-470 av. J.-C.

Comme dans le cas du meurtre de Linos, notre héros agit sans doute au nom d'une certaine justice, en l'occurrence en défendant sa ville et son roi. Malgré tout, il apparaît comme un être terriblement violent, pour ne pas dire sanguinaire : toute sa vie sera émaillée de meurtres, de tueries, de supplices atroces et il n'est pas jusqu'à sa mort elle-même qui ne soit marquée, comme on le verra, du signe de l'horreur. Et ce n'est pas le prochain épisode de sa vie qui viendra démentir ce constat...

> **IL APPARAÎT COMME UN ÊTRE TERRIBLEMENT VIOLENT, POUR NE PAS DIRE SANGUINAIRE : TOUTE SA VIE SERA ÉMAILLÉE DE MEURTRES, DE TUERIES, DE SUPPLICES ATROCES ET IL N'EST PAS JUSQU'À SA MORT ELLE-MÊME QUI NE SOIT MARQUÉE, COMME ON LE VERRA, DU SIGNE DE L'HORREUR**

Héraclès furieux : Mégara et ses enfants jetés dans les flammes...

Héraclès vient donc d'épouser la belle Mégara, fille de Créon, princesse de Thèbes. Ils ont eu trois enfants, qui sont encore tout petits. On les voit qui s'amusent pleins de vie et de joie dans un joli jardin du palais. Héraclès et sa femme jouent avec eux et ils semblent très amoureux, eux aussi très heureux. Enfin, Héraclès semble calme, apaisé, et même capable de tendresse... Mais c'est sans compter avec la vindicte d'Héra. Du haut de l'Olympe, elle n'a cessé d'observer l'itinéraire de cette créature de son mari. Toujours folle de jalousie à la vue des succès de notre héros, elle jette un sort à Héraclès, un sortilège qui va le rendre fou furieux. Le maléfice fonctionne et, pris d'une crise de délire épouvantable, un coup de folie dont il est totalement irresponsable, Héraclès se jette sur ses trois enfants et les précipite dans le feu. Pour faire bonne mesure, il tue aussi au passage deux de ses neveux, les enfants de son frère jumeau, Iphiclès, en leur fracassant la tête contre des arbres !

Comme hypnotisé par Héra, il ne s'appartient plus, il agit comme une espèce de somnambule, les yeux voilés par le philtre de haine jeté par la reine des dieux. Au bout d'un moment, la crise passée, il revient à lui : il perçoit alors toute l'horreur de la situation et, fou de douleur, il se condamne lui-même à l'exil. Désespéré, il quitte son palais et se rend dans une ville voisine pour y être, selon la coutume, « purifié ».

Au cours d'une cérémonie rituelle, agrémentée de nombreux sacrifices d'animaux, un prêtre ou un dieu pouvaient en effet purifier, c'est-à-dire laver de leur faute ceux qui avaient commis un crime grave, notamment un meurtre.

Une fois le rituel accompli, Héraclès se rend à Delphes, pour consulter la Pythie : elle lui recommande alors, pour se faire pardonner d'elle, de se mettre au service d'Héra pour accomplir douze exploits réputés impossibles. Telle est l'origine véritable des fameux douze travaux qu'Héra va lui imposer (par l'intermédiaire de son cousin, l'affreux Eurysthée, que je vais vous présenter dans un instant). La Pythie ajoute encore qu'Héraclès, après l'accomplissement de ces travaux, deviendra un jour immortel – pas seulement par sa gloire, mais parce qu'il sera transformé réellement en dieu. Ce sera son « apothéose » qui lui permettra de rejoindre l'île des Bienheureux, voire de siéger sur l'Olympe aux côtés de son père, Zeus.

C'est aussi cette Pythie qui lui donne pour la première fois son nom définitif d'Héraclès, car avant, notre héros s'appelait « seulement » « Alcide », le fils d'Alcée, ce qui veut dire « le fort ». Du reste, on entend bien que les deux noms – Héra, Héra-clès – se ressemblent ou, plutôt, que l'un est un morceau de l'autre : c'est qu'en effet ils ont un lien entre eux. Étymologiquement, « Héra-clès » signifie « la gloire d'Héra ». C'est encore à ce moment que la Pythie dévoile à un Héraclès ébahi le secret de sa naissance et son origine à moitié divine.

LA PYTHIE LUI RECOMMANDE ALORS, POUR SE FAIRE PARDONNER D'ELLE, DE SE METTRE AU SERVICE D'HÉRA POUR ACCOMPLIR DOUZE EXPLOITS

LE NOM D'HÉRACLÈS ET L'ORIGINE DES DOUZE TRAVAUX

Pour s'assurer de son pouvoir sur Héraclès et lui imposer des tâches au cours desquelles elle escompte bien qu'il va trouver la mort, Héra va avoir recours, elle aussi, à un stratagème qui n'a rien à envier à celui de son mari.

Au moment où Zeus voyait poindre pour bientôt la naissance de son fils, il avait déclaré, sans doute un peu vite, devant l'assemblée des dieux que le premier descendant de Persée à voir le jour deviendrait roi de Mycènes, une des cités les plus prospères et les plus enviables du Péloponnèse dont la légende veut qu'elle ait été fondée, justement, par Persée. En disant cela, Zeus pensait bien évidemment à Héraclès pour lequel il a prévu un destin royal. Mais Héra le prend au mot. Par jalousie, elle retarde la délivrance d'Alcmène et elle accélère en revanche la naissance d'un certain Eurysthée, un cousin germain d'Héraclès, qui se trouve être, lui aussi, un descendant de Persée. Du coup, Eurysthée naît à sept mois, tandis qu'Héraclès reste jusqu'à dix mois dans le ventre de sa mère. C'est dès lors son cousin qui devient à sa place le roi de Mycènes. Selon la coutume, Héraclès lui doit obéissance. Héra va en faire son bras armé : c'est Eurysthée qui va désormais passer commande à Héraclès des fameuses épreuves qu'Héra veut lui infliger ; c'est ce mauvais cousin qui va chaque fois l'envoyer parcourir le monde pour affronter les pires dangers en espérant bien qu'à un moment ou un autre il y succombera.

Eurysthée est toujours décrit dans cette légende comme un personnage

insignifiant et lâche, un pauvre type sans envergure, tout le contraire de son cousin. Il tient clairement le rôle du minable et du poltron. Donc, au départ, Héraclès s'appelait Alcide – ce qui veut dire le « fils d'Alcée » – en souvenir de son grand-père qui portait ce nom qui signifie lui-même en grec, comme je vous l'ai dit, « le fort ».
Comme Héra est tétanisée de jalousie, qu'elle déteste être une fois encore trompée par Zeus, elle s'est, comme on l'a vu avec l'histoire des serpents, prise d'une véritable haine pour le nouveau-né. C'est elle qui va inventer maintenant les douze épreuves dans l'espoir de faire périr Héraclès au plus vite en l'envoyant combattre des monstres dont aucun humain n'a jamais réussi à triompher. Or il se trouve qu'Héraclès va en sortir, non seulement victorieux, mais auréolé

“ EURYSTHÉE EST TOUJOURS DÉCRIT DANS CETTE LÉGENDE COMME UN PERSONNAGE INSIGNIFIANT ET LÂCHE, UN PAUVRE TYPE SANS ENVERGURE, TOUT LE CONTRAIRE DE SON COUSIN. IL TIENT CLAIREMENT LE RÔLE DU MINABLE ET DU POLTRON

d'une gloire (*kleios*) à nulle autre pareille. Au reste, le demi-dieu et la déesse finiront par se réconcilier, après la mort d'Héraclès, lorsqu'il sera enfin transformé en immortel et accueilli sur l'Olympe. C'est donc malgré tout « grâce » à Héra qu'Héraclès va devenir célèbre dans le monde entier. Et ce en deux sens : sa gloire est tout entière dédiée à la femme de Zeus et c'est aussi, bien que cela soit paradoxal, à elle qu'il la doit. D'où son nom, comme nous l'avons vu : « *Héra-Kleios* », la gloire d'Héra.

Panneau de front d'un sarcophage représentant les travaux d'Hercule : de gauche à droite, le lion de Némée, l'hydre de Lerne, le sanglier d'Érymanthe, la biche de Cérynie, les oiseaux du lac de Stymphale, la ceinture d'Hippolyte, les écuries d'Augias, le taureau de Crète et les cavales de Diomède. Marbre de Luni, œuvre romaine du milieu du IIIe siècle ap. J.-C.

LES DOUZE TRAVAUX

Quelques mots, d'abord, sur l'origine exacte, le sens et le nombre de ces fameux travaux qui constituent sans doute le moment le plus célèbre de toute la mythologie grecque.

En premier lieu, le sens « cosmique » des « travaux d'Hercule », comme on les appellera le plus souvent dans leur version latinisée, va être doublement attesté, à la fois par les armes qu'il utilise dans ses combats,

mais aussi par les cibles que l'ignoble Eurysthée va chaque fois lui désigner. Comme y insistent la plupart des mythographes, ce sont les dieux eux-mêmes – et pas n'importe lesquels : des Olympiens – qui offrent à Héraclès son équipement militaire. Selon Apollodore, c'est d'abord Athéna qui lui fait les premiers dons, mais c'est aussi Hermès qui lui enseigne l'art du tir à l'arc et qui lui fait présent de ce qui va avec : l'arc, bien sûr, mais aussi le carquois et les flèches, tandis qu'Héphaïstos se fend de son côté d'un somptueux cadeau : une cuirasse d'or qu'il a lui-même confectionnée avec le génie de forgeron qu'on lui connaît. Pour faire bonne mesure, Athéna ajoute encore un magnifique manteau et notre héros se trouve ainsi paré pour ses nouvelles aventures. Le point n'est pas négligeable : il signifie qu'Héraclès, clairement, est bel et bien un représentant des dieux sur cette terre. De toute évidence, sa mission est divine ou, ce qui revient au même dans l'univers mental des Grecs, cosmique : ce n'est pas seulement son père, Zeus, mais l'Olympe tout entier qui est derrière et avec lui[1].

Quant aux cibles qu'on va lui désigner, il est au plus haut point significatif qu'elles appartiennent presque toutes à un univers qui n'est pas normal, à un monde à proprement parler sur-naturel – ce qui montre

LE SENS « COSMIQUE » DES « TRAVAUX D'HERCULE », COMME ON LES APPELLERA LE PLUS SOUVENT DANS LEUR VERSION LATINISÉE, VA ÊTRE DOUBLEMENT ATTESTÉ, À LA FOIS PAR LES ARMES QU'IL UTILISE DANS SES COMBATS, MAIS AUSSI PAR LES CIBLES QUE L'IGNOBLE EURYSTHÉE VA CHAQUE FOIS LUI DÉSIGNER

qu'Héraclès est bien un lieutenant de Zeus, qu'il est là pour poursuivre la même tâche que lui, pour continuer son œuvre, puisque ces luttes vont porter d'abord et avant tout contre des forces de destruction qui n'ont rien d'ordinaire, mais qui sont clairement des résurgences de Chaos, des Titans, voire de Typhon, bref des avatars des forces originelles que Zeus a dû contrecarrer pour instaurer l'ordre cosmique.

Enfin, quant au nombre des travaux, c'est seulement au Ier siècle que le chiffre de douze va devenir canonique et être adopté par tous les mythographes. Dans la Grèce archaïque, il n'en est pas de même et

1. Cela dit, dernier petit détail sur son équipement militaire, Héraclès se fabriquera lui-même son arme favorite, celle avec laquelle on le représente si souvent sur les vases grecs : la fameuse massue en olivier avec laquelle il va massacrer tant de monstres.

le nombre des épreuves est variable. Chez Apollodore, il n'y a au départ que dix travaux, mais Eurysthée, qui est aussi mauvais joueur que mauvais perdant, refuse à Héraclès d'en « homologuer » deux – l'hydre de Lerne et les écuries d'Augias – au motif qu'il a été aidé ou rétribué pour ces deux exploits-là. Du coup, il rajoute deux autres travaux, ce qui nous permet de retrouver quand même le chiffre de douze dont plus personne ne s'écartera par la suite.

Et maintenant, entrons dans le vif du sujet[2].

Il y a d'abord, et c'est sans doute le plus réputé de tous les travaux avec les écuries d'Augias, le fameux combat contre le lion de Némée, une ville située dans la région d'Argos. Eurysthée, le pantin d'Héra qui est maintenant roi de Mycènes, a demandé à son illustre cousin de lui rapporter sa peau. Ce qui mérite notre attention dans cette histoire, c'est d'abord la nature de l'animal contre lequel Héraclès va devoir lutter. Bien entendu, il est terrifiant. Il ravage littéralement la région qu'on nomme l'Argolide, décimant les troupeaux, mais dévorant aussi tous les humains qu'il croise sur son passage. Là n'est pourtant pas l'essentiel. Le plus important, en effet, c'est que cette bête… n'en est pas vraiment une ! Ce n'est pas un lion ordinaire auquel Héraclès a affaire, mais bel et bien un monstre, dont les parents ne sont nullement des lions. Son père n'est autre que Typhon lui-même, et sa mère, selon certains, est Échidna, la terrifiante femme-vipère qui lui sert d'épouse. Le point est évidemment décisif : il témoigne sans la moindre ambiguïté

2. Pour l'essentiel, et à quelques détails près, je suis ici, pour éviter que l'on se perde par trop dans les variantes, les récits, assez convergents, de Diodore – qui est le premier historien à donner, dès le Ier siècle avant J.-C., un récit complet, cohérent et lié des douze travaux – et d'Apollodore, qui en est, au final, très proche (même si l'ordre des travaux n'est pas toujours le même chez les deux auteurs).

CE N'EST PAS UN LION ORDINAIRE AUQUEL HÉRACLÈS A AFFAIRE, MAIS BEL ET BIEN UN MONSTRE. SON PÈRE N'EST AUTRE QUE TYPHON LUI-MÊME, ET SA MÈRE, SELON CERTAINS, EST ÉCHIDNA, LA TERRIFIANTE FEMME-VIPÈRE QUI LUI SERT D'ÉPOUSE

de la nature réelle du combat herculéen, qui n'a rien à voir avec une chasse normale contre un animal, fût-il terriblement sauvage et dangereux. Héraclès est un Zeus miniature : si ce dernier a dû affronter Typhon, c'est maintenant au tour de son fils d'affronter ses descendants. Ce qui prouve la nature monstrueuse et surnaturelle du lion de Némée, c'est sa peau – à laquelle Eurysthée tient tant. Elle possède, en effet, une particularité remarquable, une caractéristique qu'aucun animal issu du monde normal ne possède : rien ne peut la percer, ni flèche, ni épée, ni poignard, si aiguisés et pointus soient-ils, ce qui rend le monstre plus redoutable encore, car invulnérable pour les chasseurs. Malgré tout son talent d'archer, Héraclès doit donc renoncer à utiliser ses armes habituelles : les flèches rebondissent sur la bête sans même l'égratigner et les coups d'épée qu'il lui inflige glissent sur son corps comme de l'eau sur les plumes d'un canard. Alors Héraclès va devoir puiser au plus profond de ses ressources les plus exceptionnelles : dans sa force et son courage, eux aussi surnaturels et quasi divins. Le lion habite dans une caverne qui possède deux entrées communiquant par un long couloir. Notre héros obture à l'aide d'une énorme pierre l'un des orifices et il n'hésite pas une seconde à entrer par l'autre. Dans le noir le plus complet, il s'avance à la rencontre de l'animal. Lorsque ce dernier se jette sur lui, Héraclès le saisit à la gorge et il le sert si fort

et si longtemps dans ses bras que le lion finit par rendre son dernier soupir. Alors, Héraclès le traîne hors de sa grotte en le tirant par la queue. Et là, une fois mort, il parvient à l'écorcher, puis il se confectionne avec sa peau une espèce de manteau qui lui servira d'armure et, avec la tête, il se fabrique un casque de combat.
Lorsque Eurysthée voit Héraclès revenir victorieux dans cet accoutrement, il manque s'évanouir. Il est littéralement terrorisé : si Héraclès est capable de venir à bout du lion de Némée, il est clair qu'il vaut mieux se méfier de lui. Tétanisé d'angoisse, ce roi de pacotille lui interdit pour toujours d'entrer dans la ville : désormais, Héraclès devra déposer les trophées qu'il rapportera – s'il y parvient : Eurysthée espère bien s'en débarrasser un jour ou l'autre – au pied des remparts, à l'extérieur des portes de la ville. Apollodore précise même que, sous le coup de la peur, Eurysthée se fait construire puis installer sous terre une espèce de grande jarre en bronze dans laquelle il envisage de se cacher si jamais les choses devaient tourner mal par la suite[3]... Voici, comme toujours à titre d'exemple, la version originale d'Apollodore :

Après avoir été purifié du meurtre de ses enfants, **« Héraclès se rendit à Delphes pour demander au dieu où il devait désormais s'établir. La Pythie lui donna alors pour la première fois le nom d'Héraclès. Auparavant on le nommait Alcide. Elle lui dit de s'établir à Tirynthe, en se mettant pour douze ans au service d'Eurysthée et d'accomplir les dix travaux** (on a souvent proposé de corriger le chiffre dix utilisé ici par Apollodore par le douze canonique, mais l'auteur tient ici compte du fait que deux travaux seront refusés par Eurysthée

3. Eurysthée finira par être tué au cours d'une guerre contre les Athéniens. On raconte qu'après sa mort on rapporta sa tête à Alcmène, la mère d'Héraclès, qui lui arracha les yeux.

au motif qu'Héraclès y aura été aidé) **qui lui étaient imposés ; ainsi, dit-elle, après l'accomplissement des travaux, il serait immortel. À ces mots, Héraclès se rendit à Tirynthe et accomplit ce que lui commandait Eurysthée. En premier lieu, donc, Eurysthée lui ordonna de rapporter le lion de Némée. C'était un animal invulnérable engendré par Typhon. En route pour attaquer le lion, Héraclès arriva à Cléonaï. Il y est l'hôte d'un pauvre travailleur, Molorcos. Comme son hôte voulait sacrifier une victime, il lui dit d'attendre jusqu'au trentième jour et, s'il revenait sain et sauf de la chasse, de sacrifier la victime à Zeus Sauveur et si, au contraire, il mourait, de la lui offrir comme à un défunt héroïsé. Arrivé à Némée, il chercha le lion et commença à lui tirer des flèches. Quand il comprit que l'animal était invulnérable, il brandit sa massue et se lança à sa poursuite. Le lion se réfugia dans une grotte à deux entrées : Héraclès en boucha une et, par l'autre, il entra attaquer la bête. Il lui mit le bras autour du cou et maintint la bête étranglée jusqu'à ce qu'il l'eût étouffée puis il la mit sur ses épaules et la rapporta à Cléonaï. Y trouvant Molorcos qui, arrivé au dernier jour d'attente, s'apprêtait à lui offrir un sacrifice comme à un mort, il sacrifia à Zeus Sauveur et ramena le lion à Mycènes. Eurysthée, stupéfait de sa bravoure, lui interdit pour l'avenir l'entrée de sa ville et lui ordonna d'exposer désormais ses trophées à l'extérieur des portes. On dit que, dans sa peur, il fit même installer sous terre une jarre de bronze pour s'y cacher et qu'il envoya ses ordres à Héraclès, pour ses travaux, par l'intermédiaire d'un héraut... »**

S'il veut venir à bout d'Héraclès, il faut donc trouver autre chose, une seconde épreuve, plus redoutable encore que la première. Eurysthée

Hercule étouffant le lion de Némée, terre cuite. Artiste inconnu.

demande alors à Héraclès d'aller tuer une hydre qui vit dans la région de Lerne. Mais, là encore, cette hydre n'a rien de naturel. Dans le monde réel, ce qu'on appelle aujourd'hui encore une hydre, c'est un bien innocent petit polype d'eau douce – d'environ un centimètre et demi –, un peu comparable à une anémone de mer. Il possède bien une dizaine de

LE LIEN AVEC LES TRAVAUX DE ZEUS EST ÉVIDENT. LE FILS COMBAT LES ENFANTS DU MONSTRE QUE LE PÈRE A TERRASSÉ : D'UNE GÉNÉRATION À L'AUTRE, LES ADVERSAIRES SONT FINALEMENT TOUJOURS LES MÊMES

tentacules urticants qui repoussent quand on les coupe, mais rien de bien méchant. Mais l'hydre de Lerne n'a pas grand-chose à voir avec ce qu'on rencontre normalement ici-bas. C'est un véritable monstre, gigantesque, armé de neuf têtes qui repoussent dès qu'on les tranche – et ce sont même deux têtes qui réapparaissent si on a le malheur d'en couper une ! Lui aussi dévaste littéralement le pays, tuant tout ce qui passe, animal ou être humain, à sa portée. Hésiode, dans la *Théogonie*, nous donne deux informations précieuses à son sujet. D'abord, il s'agit à nouveau, tout comme avec le lion, d'un monstre né des amours d'Échidna et de Typhon : là encore, le lien avec les travaux de Zeus est évident. Le fils combat les enfants du monstre que le père a terrassé : d'une génération à l'autre, les adversaires sont finalement toujours les mêmes. Ensuite, toujours selon Hésiode, c'est Héra qui, dans sa colère contre Héraclès, a fait élever la bête pour la lui opposer le jour venu. Voici la façon dont Apollodore raconte la victoire d'Héraclès contre l'hydre :

« Comme second travail, Eurysthée commanda à Héraclès de tuer l'hydre de Lerne. Cette hydre, nourrie dans les marais de Lerne, sortait dans la plaine pour ravager les troupeaux et le pays. Elle avait un corps gigantesque et neuf têtes, dont huit étaient mortelles et la dernière, celle du milieu, immortelle. Héraclès monta donc sur un char, avec Iolaos (son neveu) **pour cocher, et il se rendit à Lerne. Il fit arrêter les chevaux, trouva l'hydre sur une sorte de colline, près des sources d'Amymonè où elle avait son repaire. En lui lançant des traits enflammés, il l'obligea à sortir et, quand elle fut dehors, il la saisit et la tint solidement. Mais elle enlaça l'une de ses jambes et s'attacha à lui. Il avait beau abattre ses têtes à coups de massue, il n'arrivait à rien, car pour chaque tête abattue, il en repoussait deux. Un crabe géant vint au secours de l'hydre et lui mordit le pied. Aussi, après avoir tué le crabe, appela-t-il à son tour Iolaos, qui mit le feu à une partie de la forêt voisine et, avec des brandons, il brûla les têtes à la racine pour les empêcher de repousser. Quand, de cette façon, il fut venu à bout des têtes toujours renaissantes, il trancha la tête immortelle, puis il l'enfouit sous la terre et plaça dessus un lourd rocher, en bordure de la route qui va de Lerne à Eléonte. Quant au corps de l'hydre, il le fendit pour tremper ses flèches dans son venin. Mais Eurysthée déclara qu'on ne devait pas compter cette épreuve au nombre des dix travaux parce que Héraclès n'était pas venu à bout de l'hydre tout seul, mais avec l'aide de Iolaos… »**

Après ces deux exploits qui lui valurent, malgré la mauvaise foi d'Eurysthée, une grande réputation dans toute la Grèce, Héraclès terrassera ou du moins maîtrisera sur le même modèle toute une série de monstres déguisés en animaux. Je ne vais pas vous raconter une à une toutes ces victoires, dont la trame est assez répétitive. Vous les trouverez d'ailleurs

Hercule et l'hydre de Lerne, huile sur bois de Marco Marchetti (1527-1588).

à peu près partout sous des formes analogues dans tous les ouvrages consacrés à la légende d'Héraclès. Contentons-nous de les nommer : il y a d'abord la biche de Cérynie, puis le sanglier d'Érymanthe, les oiseaux du lac de Stymphale, les juments de Diomède (de bien mauvaises bêtes qui se nourrissent de chair humaine), le chien Cerbère (celui d'Hadès, aux multiples têtes et à la queue de serpent, qui garde les enfers), le taureau de Crète, la ceinture de la reine Hyppolyté, les pommes d'or des Hespérides, les bœufs de Géryon, et les écuries d'Augias. Peu importe l'ordre dans lequel on présente les différents exploits d'Héraclès. Il varie selon les mythographes et les versions diffèrent. Ce qu'il faut noter dans ces récits, ce n'est pas non plus les détails de l'intrigue, qui est à peu de chose près toujours la même – des êtres

> **HORS LE SANGLIER D'ÉRYMANTHE, QUI N'A DE PARTICULIER QU'UNE FORCE EXCEPTIONNELLE ET UN CARACTÈRE AGRESSIF INCONNU DANS LE MONDE RÉEL , LES AUTRES MONSTRES SONT TOUT À LA FOIS DESTRUCTEURS D'ORDRE ET CLAIREMENT ENRACINÉS DANS UN AU-DELÀ QUI N'A RIEN DE TERRESTRE**

monstrueux qui dévastent le pays et dont Héraclès parvient toujours à venir à bout –, mais la nature anti-cosmique, chaotique et maléfique des entités surnaturelles qu'affronte le héros : hors le sanglier d'Érymanthe, qui n'a de particulier qu'une force exceptionnelle et un caractère agressif inconnu dans le monde réel – les textes archaïques, ceux d'avant le Ve siècle, n'en parlent d'ailleurs pratiquement pas –, les autres monstres sont tout à la fois destructeurs d'ordre et clairement enracinés dans un au-delà qui n'a rien de terrestre : par exemple, non seulement la biche de Cérynie est gigantesque, mais elle a des cornes ce qui évidemment est un signe de sa non-appartenance à la nature ordinaire ; les plumes des oiseaux de Stymphale sont en acier, piquantes et tranchantes comme des lames de rasoir ; quant au taureau de Crète, les différents mythographes anciens l'assimilent tantôt à celui que Poséidon fait sortir de l'eau pour permettre à Minos de devenir roi, tantôt à celui qui a servi à enlever Europe, la jolie nymphe dont Zeus veut devenir l'amant, tantôt encore au taureau dont Pasiphaé, la femme de Minos, tombe amoureuse, ou même encore à celui du Marathon : je vous raconterai plus tard leur histoire, mais sachez déjà que, dans tous les cas, il s'agit à nouveau d'êtres surnaturels, dont les parents ne sont ni une vache ni un autre taureau, comme il se doit dans la nature réelle, mais des dieux qui veulent s'amuser avec les hommes. Les juments de Diomède sont pires encore : ce sont des chevaux qui mangent de la chair humaine, parce qu'on leur a jeté un sort – ce qu'aucun cheval ne fait jamais puisqu'il est nécessairement

LES PUISSANCES DE DESTRUCTION QU'HÉRACLÈS COMBAT SONT BEL ET BIEN SURNATURELLES, VOIRE DIVINES, À L'IMAGE DE CELLES QUE ZEUS A DÛ LUI-MÊME AFFRONTER AVANT LE PARTAGE DU MONDE ET LA CRÉATION DÉFINITIVE DU COSMOS

herbivore. Le chien Cerbère n'appartient pas non plus au monde d'ici-bas. Les bœufs de Géryon n'ont rien de monstrueux, mais leur propriétaire, qu'Héraclès doit affronter pour s'emparer des animaux, est en revanche le fils de Poséidon et de la terrible Méduse. Quant au chien, Orthros, qui garde ses troupeaux et qu'Héraclès doit bien entendu terrasser lui aussi, c'est à nouveau un être monstrueux, qui n'a rien de commun avec un vrai chien attendu qu'il a deux têtes et qu'il est, lui aussi – décidément, le thème qui relie Héraclès aux exploits de Zeus lui-même est omniprésent – un fils de Typhon et d'Échidna !

Hercule et les cavales de Diomède, bas-relief en terre cuite de Johann Gottfried Schadow, vers 1790 ; modèle pour un pilier de la porte de Brandenbourg.

En d'autres termes, les puissances de destruction qu'Héraclès combat sont bel et bien surnaturelles, voire divines, à l'image de celles que Zeus a dû lui-même affronter avant le partage du monde et la création définitive du cosmos. Divin ne veut pas dire bon : il y a de mauvais dieux, comme Chaos, comme les Titans, comme Typhon. D'ailleurs, l'hydre de Lerne, dont l'une des têtes est, elle aussi, immortelle, est maîtrisée très exactement selon le schéma utilisé par Zeus pour terrasser Typhon : de même que Zeus parvient à l'anéantir, non pas en le tuant, ce qui est impossible, mais en l'enterrant sous un énorme volcan, l'Etna, c'est aussi en plaçant un lourd rocher sur la tête non mortelle de l'hydre qu'Héraclès réussit à en débarrasser le cosmos. Ajoutons qu'Héra est parfois mentionnée de manière explicite comme celle qui a, sinon élevé elle-même « l'animal », du moins fait en sorte qu'il croise le chemin du héros dont elle veut à tout prix la mort.

“IL SE TROUVE QUE CET ORNEMENT LUI A ÉTÉ OFFERT DES MAINS MÊMES D'ARÈS, LE DIEU DE LA GUERRE, DE SORTE QUE TOUT LAISSE SUPPOSER QU'HÉRACLÈS AURA BIEN DU MAL À L'ARRACHER À SA PROPRIÉTAIRE. POURTANT, C'EST TRÈS VOLONTIERS QU'ELLE LUI FAIT DON DE CET ORNEMENT

Lion de Némée, hydre de Lerne, sanglier d'Érymanthe, biche de Cérynie, oiseaux de Stymphale, chien Cerbère, juments de Diomède, taureau de Crète, bœufs de Géryon gardés par l'affreux Orthros : nous en sommes déjà à neuf travaux.

Les trois restants, ceux dont je n'ai pas encore parlé – la ceinture de la reine des Amazones, Hippolytè, les pommes d'or des Hespérides et les écuries d'Augias –, ont en revanche une allure différente. Il ne s'agit plus de venir à bout de monstres déguisés en animaux nuisibles, mais, plus simplement, si l'on peut dire, d'accomplir une tâche réputée impossible. Au fond, c'est ici plus qu'avec les autres exploits que la notion de « travaux » trouve véritablement à s'appliquer : c'est bien d'un labeur qu'il s'agit avant tout, d'une mission impossible et dangereuse, certes, mais dans laquelle le monstrueux n'est pas le premier ni le seul élément caractéristique. On sort du schéma habituel de la lutte victorieuse contre une entité chaotique, héritière directe ou indirecte de Typhon.

Pour autant, il ne faut pas s'y tromper, les forces titanesques et chaotiques restent toujours présentes en arrière-fond.

C'est le cas, bien sûr, avec les Amazones, ces guerrières intraitables qui se compriment le sein droit depuis l'enfance pour ne pas être gênées plus tard dans le maniement de l'arc et du javelot. Cette fois-ci, ce n'est pas directement Eurysthée qui inflige un nouveau pensum à Héraclès, mais Admètè, sa fille, qui fait un caprice : elle veut absolument, de toute urgence, qu'on lui rapporte la superbe ceinture de la reine des Amazones, Hippolytè. Or il se trouve que cet ornement lui a été offert des mains mêmes d'Arès, le dieu de la guerre, de sorte que tout laisse supposer qu'Héraclès aura bien du mal à l'arracher à sa propriétaire. Pourtant, contre toute attente, lorsqu'il parvient aux pieds de la reine, après bien des aventures que je laisserai ici de côté, c'est très volontiers qu'elle lui fait don de cet ornement. Héra, dépitée, ne l'entend pas de la sorte. Elle s'arrange pour prendre l'apparence d'une Amazone – les dieux sont capables de toutes les métamorphoses – et, descendant de l'Olympe, elle répand parmi les guerrières le bruit qu'Héraclès est venu en ennemi pour enlever la reine, ce qui, bien entendu, est un mensonge. Du coup, un combat très violent éclate entre Héraclès et ses compagnons d'armes d'un côté, et de l'autre, les Amazones, combat au cours duquel

Hippolytè est tuée par Héraclès. Rapporté par Apollodore, l'épisode montre là encore la fureur qui s'empare du héros dès qu'on lui résiste :

« Eurysthée ordonna à Héraclès de rapporter la ceinture d'Hippolytè. Hippolytè était la reine des Amazones, une grande nation guerrière qui vivait sur les bords du fleuve Thermodon. Les Amazones cultivaient les vertus viriles et, si jamais elles s'unissaient à l'autre sexe et avaient des enfants, elles n'élevaient que les filles : elles leur comprimaient le sein droit pour qu'elles ne soient pas entravées pour le lancer de javelot et leur laissaient le sein gauche pour qu'elles puissent allaiter. Hippolytè avait en sa possession la ceinture d'Arès, symbole de la primauté de son rang. Héraclès fut envoyé à la recherche de cette ceinture que la fille d'Eurysthée, Admètè, désirait avoir… Quand il aborda au port de Thémiscyra, Hippolytè vint le trouver. Elle lui demanda pourquoi il était venu et elle promit de lui donner sa ceinture. Mais Héra, prenant les traits d'une Amazone, circula dans la foule en disant que les étrangers qui venaient d'arriver étaient en train d'enlever la reine. Les Amazones en armes se précipitèrent à cheval vers le navire. Quand Héraclès les vit toutes revêtues de leurs armes, il crut que c'était le résultat d'une ruse : il tua Hippolytè et la dépouilla de sa ceinture, puis, après un combat avec les autres Amazones, il reprit la mer… »

Où l'on commence à mieux percevoir la dimension tragique du personnage d'Héraclès. Non seulement il est sans cesse déchiré entre violence et justice, entre *hybris* et *Dikè*, mais sa vie lui échappe. Si l'un des ressorts principaux de la tragédie grecque réside dans le conflit qui oppose le destin à la liberté humaine, alors, Héraclès est sans cesse tout à la fois acteur et victime de ce conflit.

Quant aux fameuses pommes d'or des Hespérides – et je vous rappelle que c'est une de ces pommes qu'Éris a posée sur la table lors du mariage de Thétis et de Pélée – il s'agit, là encore, de fruits magiques, d'êtres qu'on ne rencontre pas dans le monde naturel. Ce sont des pommes très spéciales, qui poussent directement sur leur arbre en métal précieux, et pour cause : c'est le présent que Gaïa a offert à Héra le jour de son mariage avec Zeus. La reine des dieux les a trouvées si sublimes qu'elle a fait planter le pommier qui les produit dans un jardin situé lui-même aux confins du monde réel, sur l'Atlas, cette montagne qui est aussi un dieu, un des fils du Titan Japet, un des frères d'Épiméthée et de Prométhée, sur les épaules duquel repose le monde.

CE SONT DES POMMES TRÈS SPÉCIALES, QUI POUSSENT DIRECTEMENT SUR LEUR ARBRE EN MÉTAL PRÉCIEUX, ET POUR CAUSE : C'EST LE PRÉSENT QUE GAÏA A OFFERT À HÉRA LE JOUR DE SON MARIAGE AVEC ZEUS

Héra craint toujours qu'on vienne lui voler ses pommes. Elle place donc deux sortes de gardiens à l'entrée du parc. Il y a d'abord trois nymphes, qu'on appelle les Hespérides, et qui vont justement donner leur nom à ce fameux jardin. En grec, « Hespéride » veut simplement dire « fille d'Hespéris », cette dernière étant elle-même la fille d'Hespéros, le soir. Ces divinités portent d'ailleurs des noms qui évoquent les couleurs de la fin du jour : la « Brillante », la « Rouge », l' « Aréthuse du couchant »… Mais comme Héra, à ce qu'on raconte, n'est pas très sûre de ces nymphes, elle a ajouté un second gardien : un dragon immortel qui,

Héraclès au jardin des Hespérides, face A d'une péliké attique à figures rouges, 380-370 av. J.-C.

comme de bien entendu, est à nouveau un fils de Typhon et d'Échidna, décidément toujours en travers du chemin d'Héraclès comme ils l'étaient en travers de celui de son père ! Si vous vous en souvenez, c'est aussi au cours de cette expédition à la recherche des pommes d'or qu'Héraclès va libérer Prométhée de ses chaînes : il tue à coup de flèches l'aigle qui lui dévore le foie, et qui est lui aussi un fils de Typhon et d'Échidna ! Curieusement, ce n'est pas par la force mais, comme on va voir, par la ruse qu'Héraclès va parvenir à voler les pommes d'Héra – preuve qu'il est bel et bien un fils de Zeus qui a avalé Métis.

En effet, Prométhée, une fois libéré, ne fait évidemment pas de difficulté pour indiquer à Héraclès ce qu'il cherche depuis plus de un an maintenant : l'emplacement exact du fameux jardin des Hespérides. C'est facile, puisqu'il est là où est son frère, Atlas. Prométhée lui conseille de ne pas aller voler les pommes lui-même – ce serait un larcin peu pardonnable –, mais d'envoyer Atlas les chercher pour lui. Lorsqu'il arrive chez Atlas, Héraclès lui propose un marché : il tiendra le monde sur ses épaules à la place du Titan, le temps que ce dernier aille récupérer les pommes. Atlas accepte, mais, à son retour, il se sent tout léger. Il découvre à quel point il est agréable de vivre sans fardeau, à quel point il en a assez de porter le monde sur son dos. On le comprend ! Et il déclare à Héraclès qu'il va, tout bien pesé, apporter lui-même les pommes à Eurysthée. Pendant tout ce temps, Héraclès retient la voûte céleste tout entière sur les épaules. Il a beau être fort, ça commence à lui peser ! Il faut qu'il trouve une solution pour la remettre d'urgence sur celles d'Atlas. L'air de rien, pour ne pas attirer son attention, il lui dit que c'est d'accord. Simplement, si Atlas avait la bonté de reprendre le fardeau une seconde, cela lui permettrait de se saisir d'un petit coussin qu'il mettra sous sa tête pour être un peu plus à l'aise. Atlas est fort, mais bête : il se laisse ruser, reprend la voûte et, bien évidemment,

HÉRACLÈS LUI PROPOSE UN MARCHÉ : IL TIENDRA LE MONDE SUR SES ÉPAULES À LA PLACE DU TITAN, LE TEMPS QUE CE DERNIER AILLE RÉCUPÉRER LES POMMES. ATLAS ACCEPTE, MAIS, À SON RETOUR, IL SE SENT TOUT LÉGER. IL DÉCOUVRE À QUEL POINT IL EST AGRÉABLE DE VIVRE SANS FARDEAU, À QUEL POINT IL EN A ASSEZ DE PORTER LE MONDE SUR SON DOS

Hercule et Atlas,
par Lucas Cranach l'Ancien (1472-1553).

Héraclès lui tire sa révérence et s'en retourne chez Eurysthée avec les pommes, en laissant le pauvre Atlas à son funeste destin.
La fin de l'histoire est elle aussi très instructrice : dès qu'il les a en main, Eurysthée regarde à peine les pommes et les rend aussitôt à Héraclès. Ce qui prouve, s'il en était encore besoin, que le but des travaux n'est pas d'obtenir tel ou tel objet, de réaliser telle ou telle fin, mais juste de faire tuer le héros, ce qu'il rapporte n'ayant en soi aucun intérêt. D'ailleurs, il est absolument interdit de voler ces pommes, qui doivent impérativement rester dans leur jardin cosmique. Héraclès les donne donc à Athéna qui les remettra aussitôt en place, en harmonie avec le reste du monde…

J'ai gardé les écuries d'Augias pour la fin, bien qu'Apollodore en fasse le cinquième défi, parce que cette aventure-là ne ressemble à aucune autre. Pas de monstre, pas d'enfant de Typhon ni d'Échidna, pas d'être surnaturel… et pourtant, le combat de l'ordre contre le désordre, du chaos contre le cosmos, n'en est pas moins, là encore, omniprésent. D'abord par le personnage d'Augias lui-même, qui est le roi d'une région qu'on nomme l'Élide et qui s'avère être un maître, non seulement de désordre, mais aussi d'injustice. Il possède d'immenses troupeaux que lui a donnés son père – Hélios, le dieu du soleil. Mais depuis qu'il en est le propriétaire, il ne s'est jamais donné la peine de nettoyer ses écuries. Elles sont maintenant d'une saleté inimaginable, au point qu'elles menacent de pollution la région tout entière. Le fumier n'est jamais enlevé et comme il se dépose en couches épaisses sur les terres avoisinantes, il les rend stériles. On a donc bel et bien affaire à un désordre qu'on dirait aujourd'hui « écologique », d'une ampleur considérable. Héraclès s'abstient de dire à Augias qu'il est envoyé par son cousin pour tout nettoyer. Il veut, en effet, lui demander un salaire pour ce travail dont il commence à comprendre qu'il ne lui a pas été imposé, une fois n'est pas coutume, pour tenter de le tuer – en l'occurrence, la vie du héros n'est pas menacée comme dans les autres aventures – mais pour l'humilier, le rabaisser au rang d'un esclave qui doit mettre les mains dans la fange. Héraclès veut donc être rétribué et il demande, si l'on en croit le récit d'Apollodore, un dixième du bétail d'Augias s'il parvient à enlever tout le fumier en une seule journée, ce qu'Augias accepte, non parce qu'il aime la propreté et veut assainir la région, mais parce qu'il prend Héraclès pour un farfelu et ne croit pas une seconde qu'il peut parvenir à ses fins.

LE FUMIER N'EST JAMAIS ENLEVÉ ET COMME IL SE DÉPOSE EN COUCHES ÉPAISSES SUR LES TERRES AVOISINANTES, IL LES REND STÉRILES. ON A DONC BEL ET BIEN AFFAIRE À UN DÉSORDRE QU'ON DIRAIT AUJOURD'HUI « ÉCOLOGIQUE », D'UNE AMPLEUR CONSIDÉRABLE

Il a envie de voir ce qui va se passer, voilà tout. Ajoutons qu'en plus de la rétribution qu'il espère bien obtenir Héraclès ne veut pas se salir les mains. Il n'est pas un esclave, mais un demi-dieu, le fils de Zeus. Là encore, la ruse va s'ajouter à la force. Il pratique une belle brèche en amont, dans le mur principal qui borde les écuries, et il n'omet pas non plus de pratiquer une seconde brèche dans l'enclos qui les ferme, en aval. Puis il détourne le cours des deux fleuves qui passent à proximité, l'Alphée et le Pénée, et il fait entrer l'eau bondissante par la première brèche. En sortant par la seconde, elle emporte tout sur son passage de sorte qu'en quelques heures les écuries sont propres comme un sou neuf !

Le problème, c'est qu'Augias n'est pas seulement un malpropre, c'est aussi un menteur : lorsqu'il apprend qu'Héraclès a réussi son pari mais qu'il a été envoyé par Eurysthée, il refuse de le payer bien qu'il ait rempli son contrat. Et pour se justifier, il élabore une argumentation tordue : il prétend qu'attendu qu'Héraclès devait de toute façon faire le travail il n'a pas à être rétribué pour. Il n'aurait évidemment pas accepté de le payer si Héraclès ne lui avait pas caché le sens et l'origine de la corvée que, de toute façon, avec ou sans salaire, il était bien obligé d'effectuer. L'argument est si spécieux qu'Augias est, devant le tribunal qui est maintenant réuni pour trancher l'affaire, obligé de mentir : il jure, ce qui est pur mensonge, qu'il n'a promis aucune récompense d'aucune sorte à Héraclès. Pas de chance : son propre fils, qui a été témoin de toute la scène, témoigne contre son père et prend la défense du héros. Mauvais perdant, Augias, sans attendre la sentence rendue par les juges, s'empresse de chasser Héraclès et son fils de sa demeure. Mal lui en prend. Héraclès n'oubliera pas. Il finira par retrouver Augias et par le tuer. Justice sévère, sans doute, mais justice quand même. Ainsi Héraclès peut-il rentrer tout à fait victorieux dans la ville de son cousin qui doit bien renoncer à accumuler

MAUVAIS PERDANT, AUGIAS, SANS ATTENDRE LA SENTENCE RENDUE PAR LES JUGES, S'EMPRESSE DE CHASSER HÉRACLÈS ET SON FILS DE SA DEMEURE. MAL LUI EN PREND. HÉRACLÈS N'OUBLIERA PAS. IL FINIRA PAR RETROUVER AUGIAS ET PAR LE TUER. JUSTICE SÉVÈRE, SANS DOUTE, MAIS JUSTICE QUAND MÊME

Albrecht Dürer,
Héraclès combattant les oiseaux de Stymphale,
peinture de 1500.

QUANT À EURYSTHÉE LUI-MÊME, IL S'ENFUIT SUR UN CHAR, MAIS, COMME IL PASSAIT DÉJÀ LES ROCHES SCIRONIENNES, HYLLOS, LANCÉ À SA POURSUITE, LE TUA ET LUI COUPA LA TÊTE QU'IL DONNA À ALCMÈNE. ELLE LUI ARRACHA ALORS LES YEUX AVEC DES NAVETTES À TISSER

encore d'autres épreuves puisque toutes se montrent inutiles, du moins au regard du dessein funeste qui est celui d'Héra.
De sa couardise comme de son acharnement contre notre héros, Eurysthée sera puni, comme Apollodore nous le confie à la fin du passage qu'il consacre à Héraclès dans sa *Bibliothèque*. Après sa mort, dont nous parlerons dans le prochain livret, Héraclès sera immortalisé, conduit au cœur de l'Olympe, à côté des principaux dieux (à moins que ce ne soit sur l'île des Bienheureux). Quant à son affreux cousin, voici ce qui l'attend :

« Lorsque Héraclès eut été transporté parmi les dieux, ses enfants, pour échapper à Eurysthée, se réfugièrent auprès de Céyx (le roi de Trachis, ami d'Héraclès)**. Mais comme Eurysthée lui demandait de les livrer et le menaçait d'une guerre, ils prirent peur et, quittant Trachis, ils s'enfuirent à travers la Grèce. Poursuivis, ils allèrent à Athènes où ils s'assirent sur l'autel de la Pitié et demandèrent à être secourus. Les Athéniens refusèrent de les livrer et soutinrent une guerre contre Eurysthée. Ils tuèrent ses fils, Alexandros, Iphimédon, Eurybios, Mentor et Périmédès. Quant à Eurysthée lui-même, il s'enfuit sur un char, mais, comme il passait déjà les Roches Scironiennes, Hyllos, lancé à sa poursuite, le tua**

et lui coupa la tête qu'il donna à Alcmène. Elle lui arracha alors les yeux avec des navettes à tisser. »

Mais nous n'en sommes pas encore là et, pour le moment, Héraclès est encore bien de ce monde. Les aventures qui suivent alors les douze travaux sont innombrables. Les récits que nous en avons conservés sont si divers, si divergents même, qu'il serait absurde de prétendre les raconter comme s'ils formaient un itinéraire sensé dans une biographie cohérente. Je préfère, dans notre prochain livret, consacré lui aussi à Héraclès, vous raconter ce sur quoi la plupart des mythographes s'accordent à nouveau : le dernier mariage du héros avec Déjanire, ses ultimes instants, sa mort atroce et son apothéose. Nous verrons alors en quoi Héraclès est bel et bien, au sens grec, un héros tragique.

Luc Ferry

POUR ALLER PLUS LOIN

GLOSSAIRE

ALCMÈNE

● Zeus a décidé de s'unir à une mortelle afin d'engendrer un demi-dieu qui pourrait lui venir en aide et le seconder dans son combat pour préserver l'harmonie du cosmos. Or il se trouve que c'est sur la très belle Alcmène qu'il a décidé de jeter son dévolu, Alcmène dont il connaît par ailleurs la grande vertu et l'amour qu'elle porte à son mari Amphitryon. Qu'à cela ne tienne, pour arriver à ses fins, le dieu de l'Olympe n'hésite pas à prendre l'apparence d'Amphitryon lui-même et à passer trois journées entières avec Alcmène après avoir ordonné au Soleil de ne pas se lever. De ces amours naquit Héraclès, le héros grec le plus connu, et notamment par ses fameux douze travaux. Quant à Alcmène, qui vécut jusqu'à un âge avancé, Zeus fit chercher son corps par Hermès, au moment de sa mort, et elle fut transportée dans l'île des Bienheureux, l'île où les mortels vivent encore comme au temps de l'âge d'or.

ATHÉNA

● Zeus a avalé Métis, sa première femme alors enceinte, de peur que son enfant, si c'était un fils, ne lui prenne sa place. Et c'est ainsi qu'Athéna serait née directement de la tête de Zeus, dont elle est la fille préférée, celle qui, de tous ses enfants, lui ressemble le plus. Divinité de la guerre, mais plus intelligente, plus forte et plus rusée que ne l'est Arès, son frère, Athéna est également la déesse des arts, des techniques et de l'intelligence que symbolise son oiseau fétiche, la chouette, qui voit dans l'obscurité. Dans le récit de Platon, Prométhée dérobe ces arts, ces techniques, pour les donner aux hommes, provoquant ainsi le courroux de Zeus et son châtiment terrible.

ATLAS

● Atlas est le fils du Titan Japet, le frère de Prométhée et d'Épiméthée. Il fait partie des forces chaotiques contre lesquelles Zeus dut livrer bataille afin d'instaurer un cosmos juste et harmonieux. Comme punition pour avoir combattu contre lui, Zeus le condamna à porter la voûte céleste sur ses épaules. Héraclès, au cours de l'un de ses travaux, remplace temporairement Atlas dans cette épreuve et sera obligé de recourir à la ruse pour qu'Atlas, qui trouve bien confortable d'être allégé de ce lourd fardeau, reprenne sa place.

BIBLIOTHÈQUE

● Étymologiquement, une bibliothèque est un meuble qui contient des livres, mais ce terme désigne, parfois, non pas une bibliothèque au sens moderne du terme, mais un « livre de livres », autrement dit un recueil contenant toutes les connaissances dont on disposait alors sur un sujet donné. La *Bibliothèque* d'Apollodore est ainsi un livre écrit au IIe siècle, qui tente de regrouper tout le savoir disponible touchant la mythologie, l'une des sources les plus complètes dont nous disposions en ce qui concerne l'Antiquité grecque.

CHARITES

● Filles de Zeus et de Thémis, les Charites, ou Grâces, sont au nombre de trois et présentées sous un double aspect, celui des divinités de la nature et des divinités de l'ordre. Euphrosyne, « Joie », Thalia, « Abondance », et Aglaé, « Splendeur », habitent sur l'Olympe où elles ont diverses occupations. À l'instar des Muses, elles font aussi partie du cortège d'Apollon qu'elles accompagnent de leurs danses et de leurs chants. Elles sont généralement représentées nues, se tenant par les épaules dans une attitude très gracieuse.

CYCLOPES

● Les Cyclopes ouraniens, nés de l'union d'Ouranos et de Gaïa, font partie de la première génération divine. Caractérisés par leur œil unique au milieu du front, ils se distinguent également par leur force et leur grande habileté manuelle. Au nombre de trois, Brontès, Stéropès et Argès, dont les noms sont liés respectivement au tonnerre, à l'éclair et à la foudre, donneront ces attributs-là à Zeus pour le remercier de les avoir délivrés des entrailles de la terre où les avait enfermés leur frère Cronos.

ÉCHIDNA

● Monstre au corps de femme se terminant par une queue de serpent, Échidna, au même titre que Typhon, fait partie de ces êtres chaotiques qui menacent l'harmonie du cosmos. Selon les textes, elle serait la fille d'enfants de Pontos et de Gaïa, ou encore descendrait de Gaïa et de Tartare. Il n'en reste pas moins que cette femme-vipère engendre avec Typhon un certain nombre d'enfants non moins monstrueux que leurs parents : citons entre autres Cerbère, le chien des enfers, l'hydre de Lerne – monstres auxquels Héraclès devra faire face au cours de ces douze travaux – ou encore Chimère...

ÉGIDE

● Caché par sa grand-mère Gaïa au plus profond d'une caverne depuis qu'il est tout bébé, Zeus a été nourri du lait de la chèvre Amalthée, dont la peau est réputée magique, impossible à transpercer, même par les armes les plus acérées. C'est de cette peau, une fois la bête sacrifiée, que Zeus se servira comme armure, et notamment pour se protéger durant sa lutte contre les Titans. Il lui arrive de prêter occasionnellement cette égide. Ainsi Athéna, dans l'*Iliade*, place-t-elle cette peau magique sur Achille pour le protéger des ennemis avant qu'il ne reçoive ses nouvelles armes forgées par Héphaïstos.

ENFERS

● « Les enfers » ou encore « l'Hadès » – du nom du dieu terrible qui règne sur ce royaume –, voici le lieu où se rendent toutes les âmes, sans distinction aucune, après la mort. Elles y demeurent sous forme d'ombres transparentes, dépersonnalisées, ce qui caractérise la mort aux yeux des Grecs. Dans un passage de l'*Odyssée*, Homère nous dépeint cet endroit sinistre où Ulysse est obligé de se rendre pour interroger le devin Tirésias. La vue de ce peuple indistinct, de ces ombres que l'on ne peut identifier le terrifie par-dessus tout.

ÉRINYES

● Nées des gouttes du sang d'Ouranos tombé sur Gaïa, les Érinyes – au nombre de trois selon Virgile : Alecto, Tisiphoné et Mégère – sont des déesses vengeresses qui interviennent lorsqu'il y a une faute grave commise dans le cercle familial, généralement par un enfant contre un parent (ce qui renvoie aux circonstances dramatiques de leur naissance à la suite de la castration d'Ouranos par leur frère Cronos). Ces divinités sont décrites sous un aspect terrifiant, dotées de grandes ailes, de serpents en guise de cheveux, avec du sang perlant de leur bouche. Elles sont tellement craintes que, par antiphrase, pour ne pas provoquer leur courroux, on les appelle aussi les Euménides, les « Bienveillantes »...

HÉRACLÈS

● Héraclès est le fruit des amours de Zeus et d'une mortelle, Alcmène. Il est sans doute le héros grec le plus célèbre, connu pour sa bravoure, ses exploits fabuleux et son sens de la justice. Il existe de multiples variantes contant l'histoire de sa vie, mais il n'y a guère que sur quelques points, et en l'occurrence trois, que ces différents textes convergent et encore n'est-ce que de manière très approximative : sa naissance, ses fameux « douze travaux » et enfin sa mort précédant son « apothéose », c'est-à-dire son passage du statut d'être humain à celui d'immortel. Le nom « Héraclès » signifie « la gloire d'Héra » : c'est elle, en effet, qui lui impose d'accomplir pour sa gloire les fameux « douze travaux », ayant le secret espoir que cet enfant né des amours illicites de Zeus sera tué au cours de l'une ou l'autre de ces épreuves...

HÉSIODE

● Poète grec dont on pense qu'il vivait aux environs du VIIe siècle avant Jésus-Christ, et qu'il serait né à Ascra, petit bourg pauvre de Béotie. Hésiode a souvent été comparé à Homère, dont on en fait l'égal. On lui attribue la paternité de la *Théogonie*, du *Bouclier d'Héraklès*, ainsi que celle du poème *Les Travaux et les Jours*, composé après une dispute avec son frère. Ce texte décrit entre autres le fameux épisode de la « boîte de Pandore », mais aussi, dans une dernière partie, les cycles naturels des travaux agricoles se déroulant tout au long de l'année, ce qui constitue dans ce domaine un témoignage précieux.

HEURES

● Les Heures, filles de Zeus et de Thémis, sont également les sœurs des Moires. Elles personnifient les saisons et, plus tard, incarneront les heures du jour. Au nombre de trois, Diké, Eunomia et Irénée – à savoir Justice, Droiture et Paix – sont des divinités de la nature et président au cycle de la végétation. Elles sont à la fois belles, sages et généreuses, et sont représentées dans des attitudes très gracieuses. Homère dit d'elles qu'elles gardent les portes de l'Olympe où elles assument des rôles assez divers.

HYDRE DE LERNE

● Engendrée par Typhon et Échidna, l'hydre de Lerne est un monstre à neuf têtes – selon les auteurs, leur nombre peut varier de cinq à six jusqu'à cent – qui ont la particularité de repousser aussitôt qu'elles ont été coupées. L'hydre, élevée d'après Hésiode par Héra elle-même afin de mettre Héraclès à l'épreuve le moment venu, sème la terreur dans tout le pays et tue tout ce qui passe à sa portée. Aidé de son neveu Iolaos, Héraclès surmonte l'épreuve et parvient à tuer l'hydre en brûlant la plaie faite lorsque l'une de ses têtes est tranchée, les chairs ne pouvant alors plus repousser. Héraclès trempe enfin ses flèches dans le venin de l'hydre, ce qui en fait des armes irrémédiablement mortelles dont il se servira par la suite.

JARDIN DES HESPÉRIDES :

● Dans la mythologie grecque, les Hespérides sont les nymphes du Couchant, filles de la Nuit, qui ont pour charge de veiller sur les pommes d'or du jardin fabuleux où elles résident. La déesse Héra les a chargées de cette mission et elles sont aidées en cela par le dragon Ladon. C'est de ce jardin enchanté que provient la sublime pomme d'or jetée par la divinité Éris lors du banquet donné à l'occasion du mariage de Thétis et Pélée.

MÉTIS :

● Déesse de l'intelligence et de la ruse, Métis est la fille d'Océan et de Téthys. Elle est la première épouse de Zeus auquel elle apporte une aide ô combien précieuse en lui fournissant le breuvage qui amènera Cronos à recracher tous ses enfants, qu'il a avalés, autrement dit les frères et sœurs de Zeus. De même, en étant avalée par le maître de l'Olympe, qui craint que Métis ne mette au monde un garçon qui lui prendrait sa place, la déesse permet à Zeus, grâce à l'intelligence dont il est à présent doté, de posséder un atout crucial pour l'aider dans sa lutte contre les Titans.

MOIRES :

● Filles de Zeus et de Thémis, la déesse de la justice, les Moires sont des divinités qui règlent le destin des hommes, mais également celui des dieux. Il est dit que Clotho, la « fileuse », Lachésis, le « sort » et Atropos, l' « inflexible », décident de la durée de vie des hommes à l'aide d'un fil que la première file, que la deuxième enroule et que la dernière coupe enfin quand il est décidé que le temps est venu. Les Moires résident dans les enfers, non loin d'Hadès dont elles contribuent à peupler le royaume.

MUSES :

● Filles de Zeus et de la Titanide Mnémosyne, les Muses sont le fruit des neuf nuits d'amour que Zeus a passées avec sa tante. Divinités de la musique, et de ce fait au service du dieu Apollon qui règne sur tous les arts musicaux, les Muses sont également les divinités de la parole juste. Quand elles s'expriment, elles tiennent des propos qui adoucissent les conflits et assurent l'harmonie indispensable. Il y a selon les légendes deux groupes de Muses : celles de Thrace, dédiées à Dionysos, à une musique chaotique ; et celles de Béotie en revanche dédiées à Apollon, et dont la musique est à la fois douce et harmonieuse, en un mot une musique apollinienne et cosmique.

PSEUDO-APOLLODORE

● Tel est le nom que l'on a donné à l'auteur de la *Bibliothèque*, que l'on croyait auparavant avoir été écrite par l'érudit Apollodore d'Athènes, élève d'Aristarque à Alexandrie aux environs du IIe siècle av. J.-C. Sur le pseudo-Apollodore, on ne connaît pas grand-chose si ce n'est qu'il a vécu sans doute, si l'on en croit ses sources et son style, au IIe siècle ap. J.-C., époque à laquelle la *Bibliothèque* semble avoir été écrite.

TARTARE

● Tartare, tout à la fois divinité et lieu, est présenté aussi bien dans les poèmes d'Homère que dans la *Théogonie* comme étant la partie la plus profonde du cosmos, nichée au cœur des enfers. C'est avant tout un lieu brumeux, plein de moisissures, toujours plongé dans les ténèbres, entouré par des fleuves aux eaux boueuses, des marécages nauséabonds. C'est dans ce lieu que l'on retrouvera les morts, les dieux déchus, comme les Titans et les Géants. On y accède après avoir franchi d'énormes portes de bronze, gardées par Cerbère.

THÉOGONIE

● Ce poème écrit par Hésiode est sans doute le plus complet que la Grèce nous ait laissé relatant, comme son nom l'indique – « du grec *theos* , « dieu », et *gennaô*, « engendrer » –, la naissance de l'univers et des dieux à travers le développement des forces primordiales que sont Chaos, Gaïa, Tartare et Éros, puis Pontos et Ouranos que Gaïa fait naître d'elle-même. Le poème montre comment du chaos et de la confusion originels va peu à peu naître un besoin de cosmos harmonieux et paisible, dont Zeus sera le principal édificateur après avoir livré un combat sans merci aux forces primitives du chaos représentées entre autres par les Titans et les Géants.

TITANS

● Au nombre de douze, six hommes et six femmes (les Titanes ou Titanides), les Titans, enfants d'Ouranos et de Gaïa, font partie de la première génération divine. Le plus jeune d'entre eux, Cronos, donnera naissance à la génération des Olympiens. Ces êtres d'une force colossale, très proches du chaos originel, sont avant tout dédiés à la guerre et à la violence. Ils perdent cependant le combat qui les oppose à Zeus et se retrouvent enchaînés dans le Tartare, gardés par le chien Cerbère et par les Hécatonchires.

TYPHON

● Typhon est le monstre terrible que Gaïa engendre avec Tartare et qui est sans doute, de tous les monstres que Zeus va devoir affronter dans le but d'instaurer un cosmos harmonieux, le plus redoutable et le plus terrifiant : si grand qu'il dépasse toutes les montagnes et que sa tête même se cogne aux étoiles, tandis que ses bras enveloppent les pôles. Typhon est finalement vaincu par Zeus, écrasé par le mont Etna que le roi de l'Olympe a lancé sur lui. Il serait le père d'une quantité impressionnante de créatures monstrueuses, notamment d'une partie de celles qu'Héraclès devra affronter au cours de ses douze travaux.

Brigitte de Zélicourt

Hercule enfant.
Ancienne fresque romaine provenant d'Herculaneum.

EXPRESSIONS MYTHOLOGIQUES

L'ÉCHARPE D'IRIS

● Iris est à Héra ce qu'Hermès est à Zeus : une messagère. Iris apparaît à plusieurs reprises dans L'*Iliade* d'Homère. Dans sa *Théogonie*, Hésiode la présente comme la fille de Thaumas, divinité primordiale, et d'Électre, l'Océanide. Elle est donc aussi la sœur des Harpyes. Ses deux ailes d'or lui permettent de transmettre rapidement les volontés divines. Sa parure est un voile diaphane dont les multiples couleurs laissent derrière son vol la courbe de l'arc-en-ciel : « [...] Iris revêt son voile aux mille couleurs et, faisant resplendir dans le ciel la courbe de son arc, elle se dirige, pour exécuter l'ordre, vers la demeure royale que dissimule un nuage. » (Ovide, *Les Métamorphoses*, XI, 589-591, traduction de Georges Lafaye*.) Iris apparaît aussi à plusieurs reprises dans L'*Iliade* d'Homère. Ainsi *l'écharpe d'Iris* est devenue une métaphore poétique désignant l'arc-en-ciel. La Fontaine, par exemple, l'utilise dans sa fable *Phébus et Borée* :

« Il pleut, le soleil luit, et l'écharpe d'Iris
Rend ceux qui sortent avertis
Qu'en ces mois le manteau leur est fort nécessaire. »
(Fables, VI, 3)

Notons qu'en espagnol, *arc-en-ciel* se dit *arco iris*. En français, *iris* désigne, entre autres, les couleurs de l'arc-en-ciel (i.e. la lumière blanche décomposée par le prisme optique) et *iriser* signifie « colorer des teintes de l'arc-en-ciel ». Ces couleurs sont infinies mais se déclinent autour des sept couleurs fondamentales que sont, dans l'ordre, le rouge, l'orange, le jaune, le vert, le bleu, l'indigo et le violet.

*Au-delà de la mythologie grecque, l'arc-en-ciel est associé à de nombreuses croyances religieuses ou superstitieuses. Pour certaines, son apparition est considérée comme un message céleste, l'espoir d'une heureuse nouvelle ; elle est alors l'occasion de formuler un vœu. Pour d'autres, elle est présage de danger, voire de mort.

NETTOYER LES ÉCURIES D'AUGIAS

● Un tel coup de balai est si colossal que l'entreprise en découragerait plus d'un : il faut être bravache, fanfaron, inconscient ou d'un courage héroïque pour prétendre *nettoyer les écuries d'Augias*. Cela relève du donquichottisme...

Augias était l'un des Argonautes, ces héros partis, sous le commandement de Jason, conquérir la Toison d'or. Fils d'Hélios (le Soleil) et roi d'Élide, région située au nord-ouest du Péloponnèse, Augias possédait un troupeau de trois mille têtes et ses écuries n'avaient pas été nettoyées depuis plus de trente ans : les tas de bouse et de fumier étaient tels que non seulement les écuries en étaient jonchées mais aussi les pâturages alentour. L'air d'Élide était devenu irrespirable. C'est à Héraclès que revient la charge de nettoyer les royales écuries : par cette mission qui constitue le cinquième des douze travaux d'Hercule, Eurysthée entendait atteindre le demi-dieu dans son amour-... propre. Héraclès releva le défi et, fort ingénieusement, s'acquitta de la tâche en détournant les eaux des fleuves Alphée (en grec *Alfios*) et Pénée (*Piniós*). Les écuries furent récurées sans qu'Héraclès n'ait à racler. Mais Augias ayant refusé de lui payer son dû (le dixième de son cheptel), Héraclès le tuera plus tard, sans autre forme de procès.

LES COLONNES D'HERCULE

● Pour les Anciens, elles marquaient la limite occidentale de la Méditerranée (*Mare Internum* ou *Mare nostrum*) et séparaient le monde connu et civilisé d'un monde inconnu et supposé dangereux. Au-delà de ces *Colonnes d'Hercule*, les Anciens « *crurent longtemps que rien n'existait que la nuit** » ou peut-être seulement l'île mythique de l'Atlantide, royaume du géant Atlas qui portait la voûte céleste sur ses larges épaules. Ces colonnes correspondaient, au nord, à l'extrémité méridionale du Mont *Calpe* (actuel Rocher de Gibraltar), au sud, au Mont *Abyla* (actuel Jbel Musa marocain) ou au Mont *Hacho* (Mont des Singes), près de la future Ceuta.
Selon la mythologie grecque, c'est au cours du dixième de ses travaux qu'Hercule les créa. Le colosse avait reçu d'Eurysthée l'ordre de lui ramener les bœufs roux de Géryon, géant aux trois corps habitant selon les légendes soit en Bétique (future Andalousie), soit dans une île nommée Érythie, aux confins occidentaux du monde méditerranéen. Hercule s'y rendit en suivant les côtes africaines. Là, les récits divergent : soit il aurait voulu laisser une trace de son passage en érigeant les deux colonnes, soit il les aurait fait surgir en séparant d'un coup d'épaule les continents africain et européen, donnant par la même occasion la genèse mythologique de l'actuel détroit de Gibraltar.
De nombreux auteurs y font allusion : Pindare, Hérodote, Strabon, Pline l'Ancien, Aristote, Platon.
Ce dernier nous dit au début du *Critias* : « Avant toutes choses, rappelons-nous que neuf mille ans se sont écoulés depuis la guerre qui, raconte-t-on, s'éleva entre les peuples qui habitent en deçà et ceux qui habitent au-delà des colonnes d'Hercule**. »
Idem dans *Le Timée*, autre dialogue de Platon :
« Ces livres nous apprennent quelle puissante armée Athènes a détruite, armée qui, venue à travers la mer Atlantique, envahissait insolemment l'Europe et l'Asie; car cette mer était alors navigable, et il y avait au-devant du détroit, que vous appelez les Colonnes d'Hercule, une île plus grande que la Libye et l'Asie**. »
Ces textes ont souvent étayé les thèses de ceux qui croient que l'Atlantide a existé.

Atlantide ou pas, les Colonnes d'Hercule jouèrent un rôle important dans l'Antiquité. Outre la limite géographique qu'elles représentaient, elles sont devenues un véritable mythe, car le monde mystérieux et nécessairement hostile que l'on imaginait au-delà laissait planer une terrible menace : l'imminence d'une fin du monde.
La locution a parfois été utilisée comme métaphore synonyme de « limites extrêmes et quasiment infranchissables »

*Alexandre Dumas, *Impressions de voyage*, vol. 1.
** Traduction de Victor Cousin.

EN RESTER MÉDUSÉ

● Les Gorgones étaient trois : Sthéno, Euryalé et Méduse (*Mêdousa*, en grec). Monstres fabuleux, elles vivaient près des Colonnes d'Hercule et du pays des Hespérides, nymphes du couchant qui gardaient ce jardin des dieux où l'on trouvait des pommes d'or. Des trois, Méduse était la seule mortelle. Elle possédait le pouvoir de transformer en statue de pierre tout humain osant la regarder fixement. D'une épouvantable laideur, elle avait, comme ses sœurs, la tête hérissée de serpents. Après s'être accouplée à Poséidon, elle fut tuée par Persée qui, relevant le défi du roi Polydectes, lui trancha la tête d'un coup de serpe, utilisant son bouclier comme miroir afin de ne pas voir la dangereuse créature en face. Ovide nous apprend aussi, entre autres pétrifications, que Persée présenta à Atlas « du côté gauche, la face hideuse de Méduse » pour transformer le géant en montagne (*Les Métamorphoses,* IV, 655-657). L'affrontement de Persée et de Méduse fut d'abord raconté par Hésiode dans sa *Théogonie* (274-276).
Parce que leurs tentacules rappellent les cheveux de la plus hideuse des Gorgones, les animaux marins appartenant à l'embranchement des cœlentérés ont reçu le nom de *méduses* (1754). Le verbe *méduser* apparaît dès 1606 avec le sens imagé de « frapper de stupeur, pétrifier, stupéfier, fasciner. »

Par Jean Maillet, d'après *500 expressions populaires* (Éditions de l'Opportun)

EXTRAITS

APOLLODORE, LA BIBLIOTHÈQUE

Traduction Clavier, 1805.

Livre second, chapitre V :
§ 11. Tous ces travaux furent terminés dans huit ans et un mois ; mais Eurysthée ne voulant lui compter, ni celui des étables d'Augias, ni celui de l'Hydre, lui ordonna pour le onzième de lui apporter les pommes d'or du jardin des Hespérides. Ces pommes étaient, non dans la Lybie, comme quelques-uns le disent, mais auprès de l'Atlas dans le pays des Hyperboréens. Junon les avait données en présent à Jupiter lorsqu'il l'épousa. La garde en était confiée à un dragon immortel et à cent têtes, fils de Typhon et de l'Échidne qui avait toutes sortes de voix. Elles étaient aussi gardées par les Hespérides Æglé, Erythie, Hestia et Aréthuse. Étant parti pour cette entreprise, il rencontra près du fleuve Echedore, Cygnus fils de Mars et de Pyrène, qui le défia au combat. Mars voulut prendre la défense de son fils et combattre Hercule ; mais la foudre tomba au milieu d'eux, et les sépara. Hercule passa ensuite par l'Illyrie, et se rendit vers le fleuve Eridan, où il vit les Nymphes filles de Jupiter et de Thémis, qui lui indiquèrent la demeure de Nérée. Hercule l'ayant trouvé endormi, le lia, et quoiqu'il prît toutes sortes de formes, il ne le lâcha point qu'il ne lui eût dit où il trouverait les pommes d'or et les Hespérides. Il prit ensuite son chemin par la Lybie ; elle était gouvernée alors par Antée, fils de Neptune, qui forçait les passants à lutter avec lui, et les tuait. Comme en touchant à la Terre il reprenait de nouvelles forces, quelques-uns ont dit qu'elle était sa mère. Aussi Hercule, contraint de lutter avec lui, l'enleva dans ses bras, et le tua en lui brisant les côtes. De la Lybie, il passa en Égypte, où régnait Busiris, fils de Neptune et de Lysianasse, fille d'Épaphus. Ce roi, d'après un certain oracle, sacrifiait les étrangers à Jupiter. La famine avait affligé l'Égypte durant neuf ans ; un devin nommé Thrasius, venant de Chypre, dit qu'elle cesserait si l'on sacrifiait tous les ans un étranger à Jupiter. Busiris, ayant commencé par le devin lui-même, continua à sacrifier tous les étrangers qui arrivaient. Ayant pris Hercule, il le fit conduire à l'autel ; mais celui-ci ayant rompu ses liens tua Busiris, Amphidamas son fils, et Chalbès son héraut. Ayant ensuite traversé l'Asie, il aborda à Thermydres, port de l'île de Rhodes ; il y rencontra un bouvier qui conduisait un char attelé de deux taureaux, il en détela un, le sacrifia et le mangea. Le bouvier, trop faible pour lui résister, se retira sur une hauteur, et se mit à l'accabler d'injures. C'est pourquoi, encore maintenant, les Rhodiens, lorsqu'ils sacrifient à Hercule, l'accablent d'imprécations. Il passa de là en Arabie où il tua Émathion fils de Tithon, et il arriva par la Lybie, à la mer extérieure, où il trouva sa

coupe : il s'y embarqua, et étant abordé au continent opposé, il tua à coups de flèches, sur le mont Caucase, l'aigle né de Typhon et de l'Échidne, qui rongeait le foie de Prométhée, et délivra celui-ci, qui prit alors un lien d'olivier. Il lui fit aussi obtenir l'immortalité, en donnant à sa place Chiron, qui désirait mourir. Lorsqu'il fut arrivé vers Atlas, dans le pays des Hyperboréens, Prométhée lui conseilla de ne pas aller lui-même chercher les pommes, mais de prendre la place d'Atlas, et de l'envoyer les cueillir. Hercule suivit son conseil, et prit le ciel sur ses épaules : Atlas, ayant cueilli trois pommes dans le jardin des Hespérides, revint vers lui, mais ne voulut plus reprendre le Ciel et dit qu'il irait lui-même porter les pommes à Eurysthée. Hercule alors, par le conseil de Prométhée, pria Atlas de le reprendre seulement jusqu'à ce qu'il eût fait un bourlet pour mettre sur sa tête. Atlas y ayant consenti posa les pommes à terre, et reprit le ciel ; alors Hercule s'empara des pommes et s'en alla. D'autres disent que ce ne fut pas Atlas qui les lui donna, mais qu'il les cueillit lui-même dans le jardin des Hespérides, après avoir tué le serpent qui les gardait. Il les porta à Eurysthée qui lui en fit présent ; Hercule les donna à Minerve qui les reporta dans le jardin, car il n'était pas permis qu'elles fussent placées ailleurs.

§ 12. Eurysthée lui ordonna pour le douzième de ses travaux d'amener Cerbère des enfers. Ce monstre avait trois têtes de chien, une queue de dragon, et sur le dos des têtes de serpent de diverses espèces. Avant de commencer cette entreprise, il alla trouver Eumolpe à Éleusis, pour se faire initier. Il n'était pas permis alors d'initier les étrangers ; il fut donc obligé de se faire adopter par Pylius. Comme il était encore souillé du meurtre des Centaures, il ne pouvait voir les mystères ; il se fit donc purifier et il fut initié par Eumolpe, il se rendit de là à Ténare, dans la Laconie, où est l'entrée des enfers, et il y descendit par cette ouverture. Les ombres s'enfuirent toutes lorsqu'elles le virent, à l'exception de celle de Méléagre, et de celle de Méduse. Il tira l'épée contre la Gorgone, comme si elle eût été vivante, mais Mercure l'avertit que ce n'était que son ombre. À l'approche des portes de l'enfer, il trouva Thésée et Pirithous ; ce dernier avait osé demander Proserpine en mariage, et il était enchaîné à cause de cela. Ils lui tendirent les mains, comptant sur sa force pour leur délivrance. Il délivra effectivement Thésée en le prenant par la main ; mais la Terre ayant tremblé lorsqu'il voulut prendre Pirithous, il le laissa. Il leva aussi la pierre sous laquelle Ascalaphe était enfermé. Voulant ensuite faire goûter du sang aux âmes, il égorgea un des bœufs de Pluton. Ménœtius, fils de Ceuthonyme, qui les menait paître, l'ayant défié à la lutte, Hercule le saisit par le milieu du corps et, lui ayant brisé les côtes, le laissa aller, à la prière de Proserpine. Il demanda Cerbère à Pluton, et ce dieu lui permit de l'emmener s'il pouvait le prendre sans se servir de ses armes. Hercule, revêtu de sa cuirasse et de sa peau de lion, l'ayant trouvé vers les portes de l'Achéron, le saisit par le cou, et quoique mordu par le dragon qui formait sa queue, il ne lâcha point prise, de manière que le chien se sentant étouffé fut forcé de le suivre. Il l'emmena donc avec lui, remonta sur la terre à Trœzène et, l'ayant montré à Eurysthée, il le reconduisit aux enfers. Quant à Ascalaphe, Cérès le changea en hibou.